LA BIBBIA DELLE RICETTE CHETOGENICHE CINESI

2 IN 1

100+ GUSTOSE RICETTE FACILI

ANGELA SPIGA, LUIGIA DEIANA

Disclaimer

Le informazioni contenute in i intendono servire come una raccolta completa di strategie sulle quali l'autore di questo eBook ha svolto delle ricerche. Riassunti, strategie, suggerimenti e trucchi sono solo raccomandazioni dell'autore e la lettura di questo eBook non garantisce che i propri risultati rispecchieranno esattamente i risultati dell'autore. L'autore dell'eBook ha compiuto ogni ragionevole sforzo per fornire informazioni aggiornate e accurate ai lettori dell'eBook. L'autore e i suoi associati non saranno ritenuti responsabili per eventuali errori o omissioni involontarie che possono essere trovati. Il materiale nell'eBook può includere informazioni di terzi. I materiali di terze parti comprendono le opinioni espresse dai rispettivi proprietari. In quanto tale, l'autore dell'eBook non si assume alcuna responsabilità per materiale o opinioni di terzi. A causa del progresso di Internet o dei cambiamenti imprevisti nella politica aziendale e nelle linee guida per l'invio editoriale, ciò che è dichiarato come fatto al momento della stesura di questo documento potrebbe diventare obsoleto o inapplicabile in seguito.

Sommario

LIBRO DI CUCINA CINESE PER PRINCIPIANTI

50+ GUSTOSE RICETTE FACILI

PER UNA SANA DIETA A BASSO CONTENUTO DI CARBOIDRATI

ANGELA SPIGA

Disclaimer

Le informazioni contenute in i intendono servire come una raccolta completa di strategie sulle quali l'autore di questo eBook ha svolto delle ricerche. Riassunti, strategie, suggerimenti e trucchi sono solo raccomandazioni dell'autore e la lettura di questo eBook non garantisce che i propri risultati rispecchieranno esattamente i risultati dell'autore. L'autore dell'eBook ha compiuto ogni ragionevole sforzo per fornire informazioni aggiornate e accurate ai lettori dell'eBook. L'autore e i suoi associati non saranno ritenuti responsabili per eventuali errori o omissioni involontarie che possono essere trovati. Il materiale nell'eBook può includere informazioni di terzi. I materiali di terze parti comprendono le opinioni espresse dai rispettivi proprietari. In quanto tale, l'autore dell'eBook non si assume alcuna responsabilità per materiale o opinioni di terzi. A causa del progresso di Internet o dei cambiamenti imprevisti nella politica aziendale e nelle linee guida per l'invio editoriale, ciò che è dichiarato come fatto al momento della stesura di questo documento potrebbe diventare obsoleto o inapplicabile in seguito.

INTRODUZIONE

La cucina cinese è una parte importante della cultura cinese, che comprende cucine provenienti dalle diverse regioni della Cina e da cinesi d'oltremare che si sono stabiliti in altre parti del mondo. A causa della diaspora cinese e del potere storico del paese, la cucina cinese ha influenzato molte altre cucine in Asia, con modifiche apportate per soddisfare i palati locali. I prodotti alimentari cinesi come riso, salsa di soia, noodles, tè, olio al peperoncino e tofu e utensili come le bacchette e il wok, possono ora essere trovati in tutto il mondo.

Navigare in una cucina cinese può essere una sfida se stai cercando di attenersi alla dieta cheto a basso contenuto di carboidrati e ad alto contenuto di grassi. Sebbene caricato con verdure; molti piatti cinesi sono spesso preparati con spaghetti e riso, salse amidacee e zuccherine, o carni pastellate e fritte che possono accumularsi sui carboidrati.

La dieta chetogenica è una dieta povera di carboidrati e ricca di grassi che condivide molte somiglianze con Atkins e diete a basso contenuto di carboidrati. Si tratta di ridurre drasticamente l'assunzione di carboidrati e sostituirli con i grassi. Questa riduzione dei carboidrati mette il tuo corpo in uno stato metabolico chiamato chetosi. Quando ciò accade, il tuo corpo diventa incredibilmente efficiente nel bruciare i grassi per produrre energia. Trasforma anche il grasso in chetoni nel fegato, che può fornire energia al cervello.

Questi alimenti sono difficili da includere in una dieta cheto, che in genere limita l'assunzione di carboidrati a non più di 50 grammi di carboidrati totali o 25 grammi di carboidrati netti - che sono carboidrati totali meno fibre - al giorno.

RICETTE DI UOVO CINESI

a) Zuppa con uovo

- 1/2 litro di brodo di pollo o brodo di zuppa chiaro
- 2 cucchiai. amido di mais, mescolato in 1/4 di tazza di acqua fredda
- 2 uova, leggermente sbattute con una forchetta
- scalogno, tritato, comprese le estremità verdi

Porta il brodo in una ciotola. Versare lentamente la miscela di amido di mais mescolando il brodo, finché il brodo non si addensa. Riduci il calore

quindi le scorte cuociono a fuoco lento. Versare le uova lentamente mescolando la zuppa. Non appena l'ultimo pezzetto di uovo è dentro, spegnere subito il fuoco. Servire con lo scalogno tritato sopra.

b) Keto Egg Rolls

- 1 libbra di cavolo cinese (Napa) 2 gambi di sedano
- 1/2 libbra di gamberetti cotti
- 1/2 libbra di maiale o fegatini di pollo cotti
- 10 castagne d'acqua
- 1/3 di tazza di germogli di bambù
- 1 cucchiaino. sale
- Un pizzico di pepe
- 1/2 cucchiaino. salsa di soia leggera
- 1/4 cucchiaino. olio di sesamo
- 1 uovo sbattuto
- 10 pellicole per involtini d'uovo 3 tazze di olio

PREPARAZIONE: Lessare il cavolo e il sedano finché sono teneri. Scolare e strizzare l'acqua in eccesso. Tagliare molto finemente e mettere da parte

scolare ulteriormente. Far bollire i gamberetti e friggere o cuocere il maiale. Trita entrambi. Tagliare castagne d'acqua e germogli di bambù. Mescola tutti gli ingredienti tranne l'uovo. Sbatti l'uovo. Avvolgere il ripieno nelle bucce del rotolo di uova e sigillare con l'uovo.

COTTURA: Scaldare l'olio nel wok o nella friggitrice a 375 gradi e aggiungere gli involtini all'uovo. Quando la pelle diventa marrone dorato chiaro, togliere dall'olio e scolare. (A questo punto i ristoranti li refrigerano e finiscono il processo di cottura secondo necessità.) Quando sono freddi, immergili di nuovo nell'olio caldo e friggi fino a doratura.

Per 10.

c) **Keto Foo Yung**

- 6 uova, sbattute bene
- 1 tazza di carne cotta sminuzzata (arrosto di maiale, gamberetti, quasi tutti!)
- 2 tazze di germogli di soia freschi (o 1 lattina)
- scalogno, tritato, comprese le estremità verdi
- 1 cipolla media, sminuzzata
- 1/8 cucchiaino di pepe macinato
- 1 cucchiaino di MSG (opzionale)
- 2 cucchiai di salsa di soia
- 1/2 tazza di brodo di pollo o acqua Verdura
- Olio per friggere

Prepara il sugo se lo desideri (segue la ricetta). Preriscalda il forno a 200F. Foderare un vassoio con diversi spessori di carta assorbente. Mescola tutti gli ingredienti tranne l'olio vegetale in una terrina.

Riscaldare una padella calda e asciutta. Mettere in olio vegetale a una profondità di circa 1/2 pollice. Mantenere l'olio a questo livello aggiungendone dell'altro, poiché un po 'viene assorbito in cottura. Portare la temperatura dell'olio a una temperatura media. Mescola la miscela di frittata ogni volta prima di estrarne una cucchiaiata, in modo da avere il giusto rapporto tra ingredienti liquidi e solidi in ciascuno.

Con un mestolo o un cucchiaio da minestra, prendi un cucchiaio del composto di uova e mettilo delicatamente nella padella. Quando la prima frittata si è irrigidita, spostala delicatamente per fare spazio alla successiva. Il numero di omelette che puoi preparare in una volta dipende dalle dimensioni della tua padella. Quando un lato della frittata è diventato marrone dorato, girarlo delicatamente con il giradischi per friggere l'altro lato. Al termine, trasferire dalla padella su un piatto rivestito di carta. Tenere al caldo in forno fino a quando tutte le frittate potranno essere servite insieme. Servire con o senza salsa.

d) Egg Foo Yung con gamberetti

- ½ tazza di germogli di fagioli mung
- 4 taccole
- ¼ di peperone rosso
- 2-4 cucchiai di olio
- 1 tappo a fungo ostrica, tagliato a fettine sottili
- 1–2 funghi champignon, tagliati a fettine sottili
- 6 uova
- ¼ di cucchiaino di sale
- ⅛ cucchiaino di pepe
- 1 cucchiaio di salsa di ostriche
- 1 cipolla verde, tagliata a pezzi da 1 pollice
- 6 once di gamberetti cotti, pelati e puliti

Sbollentare i germogli di soia e le taccole immergendoli brevemente in acqua bollente e rimuovendoli velocemente. Scolare bene.

Rimuovere i semi dal peperone rosso e tagliarli a fette sottili lunghe circa 1 pollice. Trita le taccole. Aggiungi ½ cucchiaio di olio a un wok o una padella preriscaldati. Quando l'olio è caldo, rosolare brevemente le fette di funghi di ostrica, fino a quando non collassano. (Puoi soffriggere anche i funghi champignon o lasciarli crudi.) Togliere dal wok e mettere da parte.

Sbatti leggermente le uova. Aggiungere il sale, il pepe e la salsa di ostriche. Mescolare le verdure e i gamberi cotti.

Aggiungi 2 cucchiai di olio a un wok o una padella preriscaldati. Quando l'olio sarà ben caldo, aggiungete un quarto del composto di uova. Cuocere fino a quando il fondo è cotto, quindi capovolgere e cuocere l'altro lato. Continuare con il resto del composto di uova, aggiungendo altro olio se necessario, facendo 4 frittate. Gustalo così com'è o servi con salsa all'uovo Foo Yung Hoisin

e) Uovo vegetariano Foo Yung

- ½ peperone rosso
- 1 tazza di germogli di fagioli mung
- 6 uova
- ¼ di cucchiaino di sale
- ⅛ cucchiaino di pepe
- 1 cucchiaino di vino di riso cinese o sherry secco
- 4 funghi, tagliati a fettine sottili
- 1 cipolla verde, affettata sottilmente
- 1 cubetto di farina di fave fermentata, schiacciata
- 2-4 cucchiai di olio

Rimuovere i semi dal peperone rosso e tagliarlo a pezzi. Sbollentare i germogli di soia immergendoli brevemente in acqua bollente e scolarli.

Sbatti leggermente le uova. Aggiungere il sale, il pepe e il vino di riso Konjac. Aggiungere le verdure e la purea di fave. Mescolare bene.

Aggiungi 2 cucchiai di olio a un wok o una padella preriscaldati. Quando l'olio sarà ben caldo, aggiungete un quarto del composto di uova. Cuocere fino a quando il fondo è cotto, quindi girare la frittata e cuocere l'altro lato. Continuare con il resto del composto, facendo 4 omelette. Servire

f) Egg Foo Yung con carne di maiale

- ¼ di peperone rosso
- ⅔ germogli di fagioli mung tazza
- 1 gambo di sedano
- 1 tazza di maiale cotto, tagliato a pezzetti
- 4-6 cucchiai di olio per soffriggere
- ½ cucchiaino di sale, diviso
- 6 uova
- ⅛ cucchiaino di pepe
- 1 cucchiaino di vino di riso cinese o sherry secco
- 4 cappelle a fungo a bottone, tagliate a fettine sottili

Rimuovere i semi dal peperone rosso e tagliarli a fette sottili lunghe circa 1 pollice. Sbollentare i germogli di soia immergendoli brevemente in acqua bollente. Sbollentare il sedano immergendolo nell'acqua bollente e facendolo bollire per 2-3 minuti. Scolare bene le verdure sbollentate. Tagliate il sedano a fettine sottili in diagonale.

Aggiungi 2 cucchiaini di olio a un wok o una padella preriscaldati. Quando l'olio è caldo, aggiungere il sedano e saltare in padella a fuoco medio-alto. Aggiungere ¼ di cucchiaino di sale. Rimuovere il sedano cotto dal wok.

Sbatti leggermente le uova. Aggiungere il pepe, ¼ di cucchiaino di sale e il vino di riso Konjac. Aggiungere la carne di maiale e le verdure, mescolando bene.

Aggiungi 2 cucchiai di olio a un wok o una padella preriscaldati. Quando l'olio è caldo, aggiungi un sesto del composto di uova. Cuocere fino a quando il fondo è cotto, quindi capovolgere e cuocere l'altro lato. Continuare con il resto del composto di uova, facendo 6 omelette. Aggiungere altro olio durante la cottura se necessario. Servire con salsa all'uovo foo yung o salsa di soia.

g) Cibo per uova Yung con salsiccia cinese

- ¼ di peperone rosso
- ½ tazza di germogli di soia
- 3 salsicce cinesi, tagliate a pezzetti
- 4-6 cucchiai di olio per soffriggere
- 1 foglia di cavolo, sminuzzata
- ½ cucchiaino di sale, diviso
- 6 uova
- ⅛ cucchiaino di pepe
- 1 cucchiaino di vino di riso cinese o sherry secco
- 4 cappelle a fungo a bottone, tagliate a fettine sottili

Rimuovere i semi dal peperone rosso e tagliarli a fette sottili lunghe circa 1 pollice. Sbollentare i germogli di soia immergendoli brevemente in acqua bollente. Scolare bene.

Aggiungi 2 cucchiai di olio a un wok o una padella preriscaldati. Quando l'olio è caldo, aggiungi il cavolo cappuccio e fai saltare in padella a fuoco medio-alto. Aggiungere ¼ di cucchiaino di sale. Togli dal wok.

Sbatti leggermente le uova. Aggiungere il pepe, ¼ di cucchiaino di sale e il vino di riso Konjac. Aggiungere la salsiccia e le verdure mescolando bene.

Aggiungi 2 cucchiai di olio a un wok o una padella preriscaldati. Quando l'olio è caldo aggiungete⅙della miscela di uova. Cuocere fino a quando il fondo è cotto, quindi capovolgere e cuocere l'altro lato. Continuare con il resto del composto di uova, facendo 6 omelette. Aggiungere altro olio durante la cottura se necessario. Servire con salsa all'uovo foo yung o salsa di soia.

h) Salsa Foo Yung Hoisin all'uovo

- 1 cucchiaio di salsa di ostriche
- 2 cucchiaini di salsa hoisin
- 1 cucchiaino di vino di riso cinese o sherry secco
- 2 cucchiai d'acqua
- 1 cucchiaino di amido di mais mescolato con 4 cucchiaini di acqua

Portare a ebollizione la salsa di ostriche, la salsa hoisin, il vino di riso Konjac e l'acqua. Aggiungere la miscela di amido di mais e acqua e mescolare energicamente per addensare. Servire con uovo foo yung.

Resa ½ tazza

Questa salsa robusta si abbina bene a piatti di frittata contenenti carne, come Egg Foo Yung con maiale

i) Salsa Foo Yung all'uovo con brodo di manzo

- ½ tazza di brodo di manzo
- ¼ di cucchiaino di olio di sesamo
- 1 cucchiaio di amido di mais mescolato con 4 cucchiai di acqua

1. Portare a ebollizione il brodo di manzo e l'olio di sesamo.
2. Aggiungere la miscela di amido di mais e acqua, mescolando energicamente. Servire con uovo foo yung.

j) Keto Red-Cooked Eggs

- 6 uova
- 1/2 tazza di salsa di soia scura
- 1/2 tazza di brodo di pollo
- 1 cucchiaino di olio di sesamo
- Salsa Hoisin
- salsa di ostriche

a) In una pentola coprite le uova con acqua fredda; portare a ebollizione, quindi cuocere a fuoco lento per 15 minuti. Togliere dal fuoco, raffreddare le uova sotto l'acqua corrente fredda e sgusciarle. In una padella, unire la salsa di soia marrone, il brodo di pollo e l'olio di sesamo. Riscalda la miscela. Aggiungi le uova.
b) Cuocere a fuoco lento, coperto per 1 ora. Il liquido dovrebbe coprire le uova, ma in caso contrario imbastire frequentemente. Spegnete il fuoco e lasciate riposare le uova nel liquido per un'altra ora, rigirandole di tanto in tanto, per garantire una colorazione uniforme.
c) Servire tagliato a metà o in quarti, con salsa di immersione. Per 6-8 porzioni di antipasti.
d) SALSA PER IMMERSIONE: Nella ciotola, unire parti uguali di salsa hoisin e salsa di ostriche.

k) Salsa di pollo all'uovo Foo Yung

- ½ tazza di brodo di pollo o brodo
- 1 cucchiaio di salsa di soia
- 1 cucchiaio di vino di riso cinese o sherry secco
- ¼ di cucchiaino di olio di sesamo
- Un pizzico di pepe nero appena macinato

a) Unisci tutti gli ingredienti e porta a ebollizione. Servire con uovo foo yung.
b) Per una salsa più densa, aggiungi 1 cucchiaino di amido di mais mescolato con 4 cucchiaini di acqua. Versare la salsa sul fondo d'uovo o servire a parte.

l) Kale Wrapped Eggs

Ingredienti:

- Tre cucchiai di panna
- Quattro uova sode
- ¼ cucchiaino di pepe
- Quattro foglie di cavolo nero
- Quattro fette di prosciutto
- ¼ di cucchiaino di sale
- 1 ½ tazza di acqua

a) Sbucciate le uova e avvolgetele con il cavolo nero. Avvolgerli nelle fette di prosciutto e spolverare con pepe nero macinato e sale.

b) Sistema Instant Pot su una piattaforma asciutta nella tua cucina. Apri il suo coperchio superiore e accendilo.

c) Nella pentola, versa l'acqua. Disporre un sottopentola o un cestello per la cottura a vapore all'interno fornito con Instant Pot. Ora posiziona / disponi le uova sul sottopentola / cestino.

d) Chiudere il coperchio per creare una camera chiusa a chiave; assicurarsi che la valvola di sicurezza sia in posizione di blocco.

e) Trovare e premere la funzione di cottura "MANUALE"; timer a 5 minuti con modalità di pressione "ALTA" predefinita.

f) Lascia che la pressione aumenti per cuocere gli ingredienti.

g) Al termine del tempo di cottura premere l'impostazione "ANNULLA". Trova e premi la funzione di cottura "QPR". Questa impostazione serve per il rilascio rapido della pressione interna.

h) Apri lentamente il coperchio, tira fuori la ricetta cotta nei piatti da portata o nelle ciotole e goditi la ricetta cheto.

m) Morsi di uovo sottovuoto

Ingredienti:

- Sale - 1/2 cucchiaino
- Uova - 4
- Fette di pancetta tritata - 4
- Parmigiano grattugiato - 3/4 tazza
- Ricotta, grattugiata - 1/2 tazza
- Panna pesante - 1/4 tazza
- Acqua - 1 tazza

Accendi la pentola istantanea, premi il pulsante 'sauté / sobbollire', aspetta che sia caldo e aggiungi la pancetta.

Cuocere la pancetta tritata per 5 minuti o più fino a renderla croccante, trasferirla su un piatto rivestito di carta assorbente, lasciarla riposare per 5 minuti e poi sbriciolarla.

Rompere le uova in una ciotola, aggiustare di sale, aggiungere i formaggi e la panna e frullare fino a che liscio. Distribuire uniformemente la pancetta sbriciolata tra gli stampini di una teglia in silicone unta d'olio,

poi versare il composto di uova fino a quando è pieno per 3/4 e coprire la teglia con un foglio di carta stagnola.

Premi il pulsante "mantieni in caldo", versa l'acqua nella pentola istantanea, quindi inserisci il supporto del sottopentola e posizionaci sopra il vassoio in silicone.

Chiudere la pentola istantanea con il coperchio in posizione sigillata, quindi premere il pulsante "vapore", premere "+/-" per impostare il tempo di cottura su 8 minuti e cuocere ad alta pressione; quando la pressione aumenta nella pentola, si avvia il timer di cottura.

Quando la pentola istantanea ronza, premi il pulsante "mantieni caldo", rilascia la pressione in modo naturale per 10 minuti, quindi rilascia una rapida pressione e apri il coperchio. Estrarre la teglia, scoprirla e capovolgere la teglia su un piatto per eliminare i bocconcini d'uovo.

n) Uova strapazzate

Ingredienti:

- Sale - 1/4 cucchiaino
- Pepe nero macinato - 1/4 cucchiaino
- Burro, non salato - ½ cucchiaio
- Latte di mandorle, non zuccherato, intero - 1 cucchiaio
- Uova - 2
- Acqua - 1 tazza

Prendi una ciotola resistente al calore che si adatta alla pentola istantanea, ungila con olio di avocado e rompi le uova.

Condire le uova con sale e pepe nero, versare il latte, frullare fino ad ottenere un composto omogeneo e poi aggiungere il burro.

Accendi la pentola istantanea, versa l'acqua, inserisci il supporto del sottopentola e posizionaci sopra la ciotola.

Chiudere la pentola istantanea con il coperchio in posizione sigillata, quindi premere il pulsante "manuale", premere "+/-" per impostare il tempo di cottura a 7 minuti e cuocere a bassa pressione; quando la pressione aumenta nella pentola, si avvia il timer di cottura.

Quando la pentola istantanea emette un ronzio, premere il pulsante "mantieni caldo", rilascia una rapida pressione e apri il coperchio.

Tira fuori la ciotola, mescola le uova con una forchetta per controllare se sono cotte; cuocere per un altro minuto se le uova sono poco cotte.

o) Muffin all'uovo di taco

Ingredienti:

- Carne di manzo macinata, nutrita con erba - ½ libbra
- Condimento per taco - 1 cucchiaio e mezzo
- Burro salato, sciolto - 1 cucchiaio
- Uova, biologiche - 3
- Miscela di formaggio messicano, sminuzzato e intero - 3 once
- Salsa di pomodoro, biologica - ½ tazza

Indicazioni:

Impostare il forno a 350 gradi F e preriscaldare.

Nel frattempo, posizionare una padella a fuoco medio, ungere con olio e, quando è calda, aggiungere la carne macinata e cuocere per 7 minuti o più fino a quasi cottura.

Condire la carne con il condimento per taco e cuocere per 3-5 minuti o fino a cottura completa, quindi togliere la padella dal fuoco.

Rompi le uova in una ciotola, sbatti fino a quando non sono sbattute, quindi aggiungi il manzo taco cotto insieme a 2 once di formaggio messicano e frusta fino a quando non è ben combinato.

Prendi una teglia per muffin da 32 tazze o delle tazze per muffin in silicone rivestite di pergamena, ungi ogni tazza con burro fuso, quindi riempi uniformemente con la miscela di taco e sopra con il formaggio rimanente. Mettere la teglia per muffin nel forno e cuocere per 20 minuti o fino a quando i muffin sono cotti e la parte superiore è ben dorata.

Quando sono cotti, lasciate raffreddare i muffin in padella per 10 minuti, poi sfornateli e raffreddateli su una gratella.

p) Uova alla diavola

Ingredienti:

- Uova biologiche - 12
- Sale - ½ cucchiaino
- Pepe nero macinato - ½ cucchiaino
- Paprika affumicata - ½ cucchiaino
- Senape di Digione - 1 cucchiaio
- Maionese, piena di grassi - ¾ tazza
- Acqua - 1 tazza

a) Accendi la pentola istantanea, versa l'acqua, inserisci la griglia per la cottura a vapore e disponi le uova

b) Chiudere la pentola istantanea con il suo coperchio, sigillata completamente, premere il pulsante manuale e cuocere le uova per 5 minuti ad alta pressione.

c) Al termine, lascia che la pressione si rilasci naturalmente per 5 minuti, quindi esegui un rapido rilascio della pressione e apri la pentola istantanea.

d) Trasferisci le uova in una grande ciotola contenente acqua ghiacciata per 5 minuti, quindi sbucciale e taglia ogni uovo a metà.

e) Trasferire il tuorlo d'uovo da ogni uovo in una ciotola, aggiungere la senape e la maionese, condire con sale e pepe nero e mescolare fino ad amalgamare.

f) Versare il ripieno di tuorlo nei gusci dell'albume e poi cospargere di paprika.

q) Frittata di spinaci e peperoni rossi

Ingredienti:

- Uova - 8
- Panna da montare pesante - 1/3 di tazza
- Formaggio cheddar grattugiato - 1/2 tazza
- Peperone rosso a cubetti - 1/4 tazza
- Cipolla rossa tritata - 1/4 tazza
- Spinaci tritati - 1/2 tazza
- Sale marino - 1 cucchiaino
- Peperoncino rosso in polvere - 1 cucchiaino
- Pepe nero macinato - 1/8 cucchiaino
- Acqua - 1 tazza
- Avocado, sbucciato, snocciolato, a fette - 1
- Panna acida - 1/2 tazza

Rompere le uova in una ciotola, aggiungere la panna e frullare fino a quando non saranno sbattute e spumose.

Aggiungere gli ingredienti rimanenti, tranne l'acqua, l'avocado e la panna acida, mescolare bene fino a incorporarli e quindi versare il composto in una pirofila da 7 pollici unta con olio di avocado.

Accendi la pentola istantanea, versaci dell'acqua, inserisci un sottopentola e posizionaci sopra una pirofila.

Chiudere la pentola istantanea con il coperchio in posizione sigillata, quindi premere il pulsante "manuale", premere "+/-" per impostare il tempo di cottura a 12 minuti e cuocere ad alta pressione; quando la pressione aumenta nella pentola, si avvia il timer di cottura.

Quando la pentola istantanea ronza, premi il pulsante "mantieni caldo", rilascia la pressione in modo naturale per 10 minuti, quindi rilascia una rapida pressione e apri il coperchio.

Estrarre la pirofila e tirare fuori la frittata capovolgendo la pirofila su un piatto e tagliarla a fette.

Servire subito.

VERDURE CINESI

r) Keto Ma Po

- 1/2 tazza di brodo vegetale
- 1/3 di tazza di salsa Hoisin
- 1 cucchiaio di vino di riso Konjac / sherry secco
- 1/3 di tazza di ketchup
- 1/2 cucchiaino di salsa piccante 1 cucchiaio di olio di sesamo
- 1 cucchiaio di olio vegetale
- 3 spicchi d'aglio, tritati
- 1 libbra di tofu compatto, tagliato a cubetti da 1/2 "
- 2 tazze di germogli di fagioli mung
- 1 cucchiaio di amido di mais mescolato con 2 cucchiai d'acqua
- 2 cipolle verdi, a scaglie

- In una piccola ciotola, unire il brodo, la salsa hoisin, il vino di riso o lo sherry, il ketchup e la salsa piccante. Mettere da parte.
- Metti un wok a fuoco alto, quando è caldo aggiungi olio vegetale. Aggiungere l'aglio e mescolare per 5 secondi. Aggiungere il tofu e soffriggere per 2 minuti. Mescolare la salsa riservata e cuocere 1 minuto. Aggiungere i germogli di soia e cuocere un altro minuto. Aggiungere l'amido di mais sciolto e mescolare finché la salsa non si addensa.
- Servire su spaghetti conditi con olio di sesamo o riso Konjac al vapore o riso al cavolfiore. Guarnire con le cipolle

s) Riso Konjac appiccicoso in foglie di cavolo

- 1 tazza di riso Konjac a grani corti (appiccicoso) o riso al cavolfiore
- 4 grandi foglie di cavolo
- 4 funghi secchi E 4 salsicce cinesi
- 2 cucchiai di salsa di ostriche
- 2 cucchiai di vino di riso cinese o sherry secco
- 2 cucchiai di brodo di pollo o brodo
- 2 cucchiai di olio per soffriggere
- 1 spicchio d'aglio, tritato finemente
- 2 fette di zenzero tritate finemente
- 2 cipolle verdi, tritate finemente

Copri il riso Konjac colloso in acqua tiepida e lascialo in ammollo per almeno 2 ore, preferibilmente durante la notte. Scolare bene. In una casseruola di medie dimensioni, portare a ebollizione il riso Konjac appiccicoso e 2 tazze d'acqua. Cuocere a fuoco lento, coperto, per 20 minuti o fino a quando il riso Konjac è cotto. Togliete dalla piastra e lasciate raffreddare per 15 minuti. Prepara il riso Konjac prima di rimuoverlo dalla pentola. Dividere il riso Konjac in 4 porzioni uguali e metterlo da parte.

Sbollentare le foglie di cavolo in acqua bollente. Scolare bene. Mettere a bagno i funghi secchi in acqua calda per almeno 20 minuti per ammorbidirli. Scolateli, strizzandoli delicatamente per eliminare l'acqua in eccesso. Tagliate a fettine sottili. Tritate le salsicce cinesi a pezzetti. Unisci la salsa di ostriche, il vino di riso Konjac e il brodo di pollo. Aggiungi l'olio a un wok o una padella preriscaldati. Quando l'olio è caldo, aggiungere l'aglio e lo zenzero. Saltare in padella brevemente fino a quando diventa aromatico. Aggiungi la salsiccia. Saltare in padella per circa 2 minuti, quindi aggiungere i funghi. Incorporare la cipolla verde. Fai una fontana al centro del wok e aggiungi la salsa, portando a ebollizione. Amalgamate il tutto, quindi togliete dal fuoco e lasciate raffreddare.

Dividi il ripieno in 4 parti uguali. Prendi una foglia di cavolo e aggiungi un quarto del riso Konjac e il ripieno, stratificandolo in modo che ci sia riso Konjac in alto e in basso, con il ripieno di carne e verdure al centro. Arrotolare la foglia di cavolo cappuccio come negli involtini di cavolo cappuccio. Ripeti con le restanti 3 foglie di cavolo. Cuocere gli involtini di cavolo, coperti, su un piatto resistente al calore in una vaporiera di bambù per 15 minuti o fino a quando non sono pronti.

t) Croccante "alghe" cinese

- ¼ di libbra di bok choy
- ¼ di tazza di mandorle non sbiancate
- ¼ di cucchiaino di sale
- 2 tazze di olio per friggere

Lavate il bok choy e scolatelo bene. Mentre il bok choy si asciuga, schiaccia le mandorle non sbiancate in un robot da cucina e mettile da parte.

Separare le foglie di bok choy dai gambi. Arrotolare le foglie come un sigaro o una salsiccia e tagliarle a brandelli sottili. Scartare i gambi o conservare per un altro piatto.

Riscaldare il wok e aggiungere l'olio. Quando l'olio è riscaldato a una temperatura compresa tra 300 ° F e 320 ° F, aggiungere i pezzi di bok choy. Friggerle molto brevemente, finché non diventano croccanti ma non dorate. (Ci vorranno solo pochi secondi.) Togliere dal wok con una schiumarola e scolare su carta assorbente.

Versare il sale sulle "alghe" e aggiungere le mandorle tritate.

u) Funghi fritti Keto

- 20 funghi freschi
- 1 cucchiaino di lievito in polvere
- ¾ tazza di farina
- ¼ di cucchiaino di sale
- 2 cucchiai di olio vegetale
- ¾ tazza d'acqua
- ¼ di tazza di amido di mais
- 4 tazze di olio per friggere

Pulite i funghi con un panno umido e tagliate i gambi.

Per preparare la pastella: in una ciotola media, setacciare il lievito nella farina. Aggiungere il sale e l'olio vegetale, mescolando. Aggiungere l'acqua e mescolare fino a ottenere una pastella omogenea. Aggiungi un po 'più di acqua se la pastella è troppo secca, o farina se è troppo bagnata. Usa un cucchiaio di legno per testare la pastella: dovrebbe cadere lentamente ed essere in grado di rivestire la parte posteriore del cucchiaio.

Spolverare leggermente i funghi con amido di mais e ricoprirli con la pastella, usando le dita.

Aggiungere l'olio a un wok preriscaldato e riscaldare a 350 ° F. Quando l'olio è pronto, aggiungi circa 5 funghi alla volta e friggi fino a doratura. Scolare su carta assorbente. Raffredda e servi.

v) Mini Frittelle Di Cipolline

- 1 tazza di farina
- 2 cucchiaini e mezzo di sale, diviso
- ½ tazza di acqua bollente
- 2 cucchiaini di olio di sesamo
- 4 cipolle verdi, tagliate a fettine sottili
- 4-6 cucchiai di olio per friggere

Metti la farina in una ciotola media. Setacciare ½ cucchiaino di sale nella farina. Incorporare una piccola quantità di acqua bollente. Aggiungere altra acqua e iniziare a formare un impasto. Aggiungere il resto dell'acqua e mescolare. Coprire l'impasto con un canovaccio umido e lasciarlo riposare per 30 minuti.

Lavorate l'impasto fino a renderlo liscio. Taglia la pasta a metà.

Stendi metà dell'impasto fino a quando non è più spesso ¼ di pollice. Distribuire 1 cucchiaino di olio di sesamo sull'impasto. Cospargere con metà delle fette di cipolla verde.

Arrotolare la pasta come un rotolo di gelatina e tagliarla in 6 pezzi. Prendi un pezzo di pasta tagliata, usa le dita per allungarlo un po ', quindi formalo a forma di L. Spingere verso il basso la parte superiore della L con il palmo della mano per formare un cerchio. Il pancake dovrebbe avere un diametro di circa 2-3 pollici. Continuate con il resto dell'impasto.

Aggiungi 2 cucchiai di olio a un wok o una padella preriscaldati. Aggiungi metà delle frittelle e friggi fino a dorarle su entrambi i lati. Cospargere con il resto del sale durante la cottura. Aggiungere altro olio se necessario.

w) Castagne d'acqua saltate in padella e germogli di bambù

- 2 cucchiai di olio per soffriggere
- 1 cucchiaino di zenzero tritato
- 1 lattina da 8 once di germogli di bambù, sciacquati e scolati
- ¼ di cucchiaino di sale
- 1 latta di castagne d'acqua, sciacquate e scolate
- ½ tazza di brodo di pollo
- 1 cucchiaio di salsa di soia
- 1 cipolla verde, tagliata a pezzi da 1 ½ pollice

Tagliate a metà le castagne d'acqua.

Aggiungi l'olio a un wok o una padella preriscaldati. Quando l'olio è caldo, aggiungi lo zenzero. Saltare in padella brevemente fino a quando diventa aromatico. Aggiungi i germogli di bambù. Saltare in padella per 1–2 minuti e aggiungere il sale. Mescolare e aggiungere le castagne d'acqua. Saltare in padella per altri 1–2 minuti, quindi aggiungere il brodo di pollo e la salsa di soia.

Portare il brodo a ebollizione, quindi abbassare la fiamma e cuocere a fuoco lento per qualche altro minuto, fino a quando tutto è ben cotto. Aggiungere il cipollotto e servire.

x) Shui Mai

- cucchiai di olio di arachidi 1 spicchio d'aglio
- 1 cucchiaino di zenzero - tritato 1 scalogno - tritato
- 1 cipolla, tritata grossolanamente
- 1/2 cavolo cappuccio - tritato grossolanamente 2 cucchiaini di salsa di soia sottile
- 1/2 cucchiaino di olio di sesamo
- 1 cucchiaino di vino di riso o sherry secco
- 1 cucchiaino di amido di mais si scioglie in 1 cucchiaino di acqua fredda 24 involucri di gnocchi, 3 pollici di diametro
- 1/2 tazza di taccole bollite o congelate
- 10 foglie di lattuga

Metti un wok a fuoco medio-alto. Quando inizia a fumare, aggiungi l'olio, poi l'aglio, lo zenzero e lo scalogno. Saltare in padella 15 secondi.

Aggiungere la cipolla e il cavolo e soffriggere per 2 minuti. Aggiungere la salsa di soia, l'olio di sesamo, il vino di riso Konjac e l'amido di mais sciolto.

Mescolare costantemente fino a quando la salsa si addensa per circa 30 secondi. Togli il wok dal fuoco e mettilo da parte a raffreddare.

y) Involtini primavera senza glutine

Ingredienti:

- Cipolla rossa
- pollo allevato a terra
- aglio
- carote
- fagioli di soia neri
- Carta di riso Konjac

Questo elenco di ricette di antipasti non potrebbe essere completo senza una qualche forma di involtini primavera e questi gustosi involtini senza glutine riempiono perfettamente questa lacuna. Fanno anche un ottimo spuntino per il pranzo al sacco.

z) Keto Ginger and Garlic Bok Choy Stir Fry

Ingredienti:

- bok choy
- aglio
- Zenzero
- sale
- olio di cocco

Il Bok Choy è un cavolo cappuccio interessante che ha molti nomi e può anche essere pericoloso se consumato in grandi quantità. Ma non preoccuparti; devi mangiarne molto per fare del male. Questo fritto cheto è molto gustoso con aglio e zenzero, ma puoi aggiungere aminos al cocco o salsa di soia se vuoi ancora più sapori.

Oltre al suo basso contenuto calorico e ad alto contenuto di nutrienti, il suo sapore leggermente dolce e la consistenza croccante lo rendono un'aggiunta gradevole a quasi tutti i piatti.

aa) Antipasto di castagne d'acqua

- 20 castagne d'acqua dolce
- ½ tazza di salsa di soia
- 10 fette di pancetta cruda
- 20 stuzzicadenti

Pelate le castagne d'acqua. Risciacquare e scolare bene. Metti la salsa di soia in un sacchetto di plastica. Aggiungere le castagne d'acqua e sigillare. Lasciate marinare per 3 ore girando di tanto in tanto fino a ricoprire completamente.

Preriscalda il forno a 350 ° F. Taglia a metà ogni fetta di pancetta.

Rimuovere le castagne d'acqua dal sacchetto, riservando la marinata. Avvolgere una fetta di pancetta attorno a ciascuna castagna d'acqua e fissarla con uno stuzzicadenti.

Infornare le castagne d'acqua a 350 ° C per 45 minuti. Trascorsi 20 minuti, capovolgere le castagne d'acqua e versarvi sopra la marinata riservata. Continua a cuocere.

bb) Spinaci saltati in padella con aglio arrosto

- 3 spicchi d'aglio
- ¼ di tazza di brodo di pollo
- 18 foglie di spinaci freschi
- 1 cucchiaio di olio per soffriggere
- 1 cucchiaio di salsa di soia

Inizia a preparare l'aglio 1 ora prima del tempo. Preriscalda il forno a 350 ° F. Pelare l'aglio e condire con il brodo di pollo. Cuocere 1 ora o finché i chiodi di garofano non saranno dorati. Freddo. Premere sugli spicchi per rilasciare l'aglio (dovrebbe uscire facilmente).

Lavare gli spinaci e tagliare le estremità. Assicurati che gli spinaci siano ben scolati.

Aggiungi l'olio a un wok o una padella preriscaldati. Quando l'olio sarà ben caldo, aggiungete le foglie di spinaci. Saltare in padella per circa un minuto, quindi aggiungere la salsa di soia. Continua a soffriggere finché gli spinaci non assumono un colore verde brillante. Servire con l'aglio.

cc) Broccoli con salsa di ostriche

- 1 libbra di broccoli
- 2 cucchiai di olio per soffriggere
- 3 cucchiaini di salsa di ostriche
- ¼ di tazza d'acqua
- 1 cucchiaino di amido di mais
- 4 cucchiaini d'acqua

Spezzare i fiori di broccoli e tagliarli a metà. Tagliate le lance sulla diagonale a fettine sottili.

Aggiungi l'olio in una padella o in un wok preriscaldato. Quando l'olio sarà ben caldo, aggiungete i broccoli, aggiungendo prima le lance e poi i fiorellini.

Aggiungere la salsa di ostriche e ¼ di tazza di acqua. Coprite e cuocete per circa 3 minuti, o finché i broccoli non diventano di un verde brillante.

Mescolare l'amido di mais e l'acqua. Scopri il wok, fai un buco al centro e aggiungi la miscela di amido di mais / acqua, mescolando velocemente per addensare. Mescola.

dd)Zucca increspata brasata con funghi

- 1 zucca increspata (chiamata anche luffa angolata)
- 3 cucchiai di olio per soffriggere
- 1 spicchio d'aglio, tritato
- 5 funghi, affettati
- ¼ di cucchiaino di sale
- ¼ di tazza di brodo di pollo
- 2 cucchiai di vino di riso cinese o sherry secco
- 2 cucchiaini di salsa di soia
- 1 cucchiaino di amido di mais
- 4 cucchiaini d'acqua

Sbucciare la zucca, lasciando qualche striscia di verde se lo si desidera per aggiungere un po 'di colore. Tagliare in diagonale a fettine sottili.

Aggiungi l'olio a un wok o una padella preriscaldati. Quando l'olio sarà ben caldo, aggiungete lo spicchio d'aglio. Quando l'aglio è aromatico, aggiungere la zucca increspata e soffriggere per circa un minuto. Aggiungere i funghi e il sale.

Aggiungere il brodo di pollo e saltare in padella per un altro minuto. Aggiungere il vino di riso Konjac, la salsa di soia.

Mescolare l'amido di mais e l'acqua e aggiungere al centro del wok, mescolando velocemente per addensare. Mescola.

ee) Broccoli cinesi brasati (Gai Lan) in salsa di ostriche

a) ½ libbra di broccoli cinesi (gai lan)
b) 1 cucchiaio più 1 cucchiaino di salsa di ostriche
c) 2 cucchiaini di salsa di soia
d) ¼ di tazza d'acqua
e) 2 cucchiai di olio per soffriggere
f) 2 fette di zenzero
g) 1 cucchiaino di amido di tapioca
h) 4 cucchiaini d'acqua

Sbollentare il gai lan immergendolo brevemente in acqua bollente, finché i gambi non assumono un colore verde brillante. Scolare bene. Separare i gambi e le foglie. Taglia le foglie e taglia i gambi sottilmente in diagonale.

Unisci la salsa di ostriche, la salsa di soia e l'acqua. Mettere da parte.

Aggiungi l'olio a un wok o una padella preriscaldati. Quando l'olio è ben caldo, aggiungete le fettine di zenzero. Saltare in padella brevemente fino a quando diventa aromatico. Aggiungi gli steli di gai lan. Soffriggere per un minuto, quindi aggiungere le foglie. Saltare in padella fino a quando le foglie diventano di un verde brillante. Aggiungere la miscela di salsa di ostriche. Abbassare la fiamma e cuocere, coperto, per 4-5 minuti.

Mescolare l'amido di tapioca e l'acqua e aggiungere al centro del wok, mescolando per addensare. Mescolare con il gai lan e servire caldo.

ff) Zucca Increspata con Pepe Rosso (Keto)

- 1 zucca increspata
- 1 peperone rosso
- 2 cucchiai di olio per soffriggere
- 1 fetta di zenzero
- ½ tazza di brodo di pollo
- 2 cucchiai di vino di riso cinese o sherry secco
- 1 cucchiaio di salsa di soia
-

Sbucciare la zucca, lasciando qualche striscia di verde se lo si desidera per aggiungere un po 'di colore. Tagliare in diagonale a fettine sottili. Tagliate a metà il peperone, privatelo dei semi e tagliatelo a listarelle sottili.

Aggiungi l'olio a un wok o una padella preriscaldati. Quando l'olio è caldo, aggiungere la fetta di zenzero e saltare in padella fino a quando non diventa aromatico. Aggiungere la zucca increspata e saltare in padella per circa un minuto. Aggiungere il peperoncino e saltare in padella fino a quando non diventa rosso vivo.

Aggiungere il brodo di pollo e riportare a ebollizione. Aggiungere il vino di riso Konjac, la salsa di soia. Servire caldo.

gg) Verdure Mu Shu

- 2 gambi di bok choy
- ½ peperone rosso
- ¼ di tazza d'acqua
- ¼ di tazza di brodo di pollo
- 1 cucchiaio di salsa di soia scura
- 2 uova, leggermente sbattute
- ¼ di cucchiaino di sale
- 3 cucchiai di olio per soffriggere
- 4 funghi freschi, affettati
- ½ cucchiaino di olio di sesamo

Separare i gambi e le foglie del bok choy. Taglia i gambi in diagonale in pezzi da 1 pollice. Taglia le foglie trasversalmente in pezzi da 1 pollice. Rimuovere i semi dal peperone e tagliarli a listarelle sottili.

Unire l'acqua, il brodo di pollo e la salsa di soia scura. Mettere da parte.

Aggiungere ¼ di cucchiaino di sale alle uova. Aggiungi 1 cucchiaio di olio a un wok o una padella preriscaldati. Quando l'olio è caldo, rimescolare le uova. Togliere dal wok e mettere da parte.

Pulisci il wok e aggiungi 2 cucchiai di olio. Quando l'olio è caldo, aggiungi i gambi di bok choy. Saltare in padella per circa 1 minuto, quindi aggiungere i funghi e il peperoncino. Saltare brevemente e aggiungere le foglie di bok choy. Aggiungi la salsa al centro del wok. Portare ad ebollizione. Incorporare l'uovo strapazzato. Cospargere con l'olio di sesamo. Mescolare e servire caldo.

DOLCI E SPUNTINI CINESI DI KETO

hh) Asian Fusion Party Mix

Rende circa 11 tazze

- 6 tazze di popcorn schioccati
- 2 tazze di quadratini di cereali per la colazione di riso Konjac croccante a misura di morso
- 1 tazza di anacardi o arachidi tostati non salati
- 1 tazza di salatini piccoli
- 1 tazza di piselli wasabi
- ¼ tazza di margarina vegana
- 1 cucchiaio di salsa di soia
- ½ cucchiaino di sale all'aglio
- ½ cucchiaino di sale condito

Preriscalda il forno a 250 ° F. In una teglia da forno da 9 x 13 pollici, unisci popcorn, cereali, anacardi, salatini e piselli.

In una piccola casseruola, unire la margarina, la salsa di soia, il sale all'aglio e il sale condito. Cuocere, mescolando, a fuoco medio fino a quando la margarina si sarà sciolta, circa 2 minuti. Versare sopra la miscela di popcorn, mescolando per amalgamare bene. Cuocere per 45 minuti, mescolando di tanto in tanto. Raffreddare completamente prima di servire.

ii) Torte di riso Konjac pressate

- 2 tazze di riso Konjac glutinoso
- 3 tazze d'acqua

Lavare e scolare 2 tazze di riso glutinoso Konjac o riso al cavolfiore. Mettere in una padella media con 3 tazze d'acqua; portare a ebollizione, ridurre la fiamma e cuocere a fuoco lento fino a quando tutto il liquido è stato assorbito, da 35 a 40 minuti.

Versare il riso Konjac caldo in una padella quadrata da 9 pollici rivestita con un foglio leggermente oliato o foglie di banana.

Coprite con altra carta stagnola o foglie unte e una seconda padella quadrata; peso con lattine grandi o altri oggetti pesanti.

Lasciar riposare 8 ore o durante la notte. Capovolgi su un tagliere, rimuovi la pellicola o le foglie e taglia in quadrati da 1 1/2 pollice con un coltello bagnato. Servire a temperatura ambiente.

jj) Ali appiccicose cinesi

- Ali di pollo da 3 libbre (1,4 kg)
- 1 tazza (60 ml) di sherry secco
- 1 tazza (60 ml) di salsa di soia
- 1 tazza (60 ml) di imitazione di miele senza zucchero
- 1 cucchiaio (6 g) di radice di zenzero grattugiata
- 1 spicchio d'aglio
- ½ cucchiaino di pasta all'aglio e peperoncino

Taglia le ali in "drummettes" se sono intere. Metti le ali in un grande sacchetto di plastica richiudibile.

Mescola tutto il resto, riservando un po 'di marinata per l'imbastitura, e versa il resto nella busta. Sigilla la busta, facendo uscire l'aria mentre procedi. Gira la busta alcune volte per rivestire le ali e buttala in frigo per qualche ora (un'intera giornata è geniale).

Preriscalda il forno a 375 ° F (190 ° C o gas mark 5). Estrarre la busta, versare la marinata e disporre le ali in una teglia bassa. Dare loro una buona ora in forno, bagnando ogni 15 minuti con la marinata riservata. Usa un utensile pulito ogni volta che imbatti.

Servire con tanti tovaglioli!

Dare la precedenza: Circa 28 pezzi

www.happyfoodstube.com

kk) Punk asiatici

I semi di zucca sono fantastici per te: sono un'ottima fonte sia di magnesio che di zinco. E hanno anche un ottimo sapore.

a) 2 tazze (450 g) di semi di zucca sgusciati crudi
b) 2 cucchiai (30 ml) di salsa di soia
c) 1 cucchiaino di zenzero in polvere
d) 2 cucchiaini Splenda

Preriscalda il forno a 180 ° C (o gas mark 4).

In una terrina, unire i semi di zucca, la salsa di soia, lo zenzero e la Splenda, mescolando bene.

Distribuire i semi di zucca in una teglia bassa e cuocere per circa 45 minuti o fino a quando i semi sono asciutti, mescolando due o tre volte durante la tostatura.

Dare la precedenza: 4 porzioni

Ciascuno con 13 grammi di carboidrati e 3 grammi di fibre, per un totale di 10 grammi di carboidrati utilizzabili e 17 grammi di proteine. (Questi sono anche un'ottima fonte di minerali.)

ll) Taccole Oliate

Se hai mangiato solo taccole nel cibo cinese, provali in questo modo.

- 4 cucchiai di olio
- 12 once di piselli freschi

1. Sciogliere l'olio in una padella pesante a fuoco medio-alto.

2. Aggiungere le taccole e rosolarle finché non diventano teneri.

Resa: 3 porzioni, ciascuna con 9 grammi di carboidrati e 3 grammi di fibre, per un totale di 6 grammi di carboidrati utilizzabili e 3 grammi di proteine.

mm) Biscotti alle mandorle

- 2 tazze di farina
- ½ cucchiaino di lievito in polvere
- ½ cucchiaino di bicarbonato di sodio
- ½ tazza di margarina o burro, a piacere
- ½ tazza di accorciamento
- 2 uova
- 2 cucchiaini di estratto di mandorle
- ¼ di libbra di mandorle intere sbollentate (1 per ogni biscotto)
- 1 uovo, leggermente sbattuto

Preriscalda il forno a 325 ° F.

In una grande ciotola, setaccia la farina, il lievito e il bicarbonato di sodio. In una ciotola media, usa un mixer elettrico per sbattere il burro o la margarina, accorciando. Aggiungere le uova e l'estratto di mandorle e sbattere fino a ottenere un composto omogeneo. Aggiungere al composto di farina, mescolando.

Lavorare l'impasto in un rotolo o in un tronco. Se trovi un rotolo lungo troppo difficile da lavorare, dividi l'impasto in 2 pezzi uguali.

Taglia l'impasto in 30-35 pezzi. (Se lo si desidera, incidere leggermente l'impasto prima di tagliarlo per avere un'idea della dimensione corretta.) Arrotolare ogni pezzo in una palla e posizionarlo su una teglia per biscotti leggermente unta, a circa 2 pollici di distanza. Mettere una mandorla al centro di ogni biscotto e premere leggermente.

Spennellate leggermente ogni biscotto con l'uovo sbattuto prima di infornare. Infornare a 325 ° F per 15 minuti o fino a doratura. Raffreddare e conservare in un contenitore sigillato.

nn)Crostate di crema pasticcera all'uovo di Keto

- 2 tazze di farina
- ¾ cucchiaino di sale
- ⅔ lardo di coppa
- ½ cucchiaino di estratto di vaniglia
- 3 cucchiai di acqua calda
- 2 uova grandi
- ½ tazza di latte evaporato
- ½ tazza di latte
- Preriscalda il forno a 300 ° F.

Per fare l'impasto: in una ciotola capiente setacciate insieme la farina e il sale. Tagliare lo strutto, quindi mescolare con le dita. Quando sarà farinoso e avrà la consistenza del pangrattato, aggiungere l'estratto di vaniglia e l'acqua calda e mescolare fino a formare un impasto. Aggiungere un altro cucchiaio di acqua se necessario. Taglia l'impasto in tre parti.

Su una superficie leggermente infarinata, stendi ogni pezzo di pasta fino a farlo diventare ⅛pollici di spessore. Taglia 6 cerchi di 3 pollici di diametro, in modo da avere un totale di 18 cerchi.

Posizionare i cerchi in teglie o stampini per muffin unti, modellando con cura i lati in modo che raggiungano il bordo.

Per fare il ripieno di crema pasticcera all'uovo: sbattere leggermente le uova e incorporare il latte evaporato, il latte. Aggiungere fino a 2 cucchiai di crema pasticcera in ogni guscio di torta, in modo che riempia bene il guscio ma non trabocchi.

Infornare a 300 ° F per circa 25 minuti o fino a quando la crema pasticcera è cotta e un coltello bloccato al centro ne esce pulito.

oo) "Gelato" all'ananas e allo zenzero

- ½ tazza di acqua
- 2 tazze di ananas fresco a cubetti
- 1 cucchiaino di zenzero sbucciato e grattugiato
- 3 tazze di latte

Portare l'acqua a ebollizione, mescolando. Aggiungere l'ananas a dadini e lo zenzero. Cuocere a fuoco lento, scoperto, per 10 minuti.

Filtrare lo sciroppo per eliminare lo zenzero e l'ananas. Aggiungere il latte allo sciroppo. Congelare. Raffredda l'ananas.

Quando il gelato è parzialmente congelato, rimescola l'ananas freddo. Continua a congelare. Scongelare leggermente prima di servire.

Per 4 persone

Il sapore di questa gelatina verde scuro può essere un po 'opprimente, ma funziona bene se bilanciato con frutta dolce e sciropposa come i litchi in scatola.

pp) Gelatina Di Erba Dessert

- 1 lattina di gelatina d'erba
- Posso litchi
- 1 barattolo piccolo sezioni di mandarino

Rimuovere la gelatina d'erba dalla lattina, affettarla e tagliarla a cubetti.

Metti i cubetti di gelatina d'erba in una grande ciotola. Aggiungere i litchi e le sezioni di mandarino e versare sopra lo sciroppo della frutta in scatola.

qq) Palline di semi di sesamo

- 1 tazza di acqua bollente
- 2 ⅓ tazze di farina di riso Konjac glutinoso
- 1 tazza di pasta di fagioli rossi dolci
- ¼ di tazza di semi di sesamo bianco
- 6 tazze di olio per friggere

Mettere la farina di riso glutinoso Konjac in una ciotola capiente, formando un buco al centro. Mescolate velocemente l'acqua e versatela nel pozzetto mescolando per amalgamare con la farina. Continua a mescolare fino a quando non sarà ben miscelato. A questo punto dovresti avere un impasto appiccicoso e color caramello.

Strofina le mani con un po 'di farina di riso Konjac in modo che l'impasto non si attacchi. Prendi un cucchiaio abbondante di pasta e forma una palla delle dimensioni di una pallina da golf.

Appiattisci la palla con il palmo della mano, quindi usa il pollice per fare una rientranza al centro. Non prendere più di 1 cucchiaino di pasta di fagioli rossi e usa la mano per modellare la pasta in un cerchio. Posizionare la pasta nella rientranza dell'impasto. Ripiegare l'impasto sulla pasta e arrotolarla in una palla. Continuate con il resto dell'impasto.

Cospargere i semi di sesamo su un foglio di carta oleata. Arrotolare le palline nei semi.

In un wok o in una pentola grande, scalda 6 tazze di olio a una temperatura compresa tra 330 e 350 ° F. Friggi le palline di semi di sesamo un po 'alla volta, spingendole con cura contro i lati del wok quando galleggiano verso l'alto. Le palline di sesamo sono cotte quando si espandono fino a circa 3 volte la loro dimensione e diventano dorate. Scolare su carta assorbente. Servire caldo.

rr) Papillon per bambini

- 1 confezione di involucri per involtini di uova
- 2 cucchiai di miele
- ½ tazza di acqua
- Olio per friggere

Taglia ogni involucro verticalmente in 4 pezzi uguali. Taglia una fessura da ¾ pollici al centro di ogni pezzo.

Metti un pezzo sopra l'altro e fai un nodo come un papillon: piega la parte superiore e fai passare i 2 pezzi attraverso la fessura. Capovolgere, piegare il fondo e passare dall'altra parte. Allarga leggermente le estremità piegate per assicurarti che l'intera superficie sia fritta.

Scalda 1 ½ pollice di olio in una padella pesante. Friggi pochi fiocchi alla volta fino a quando non saranno dorati, girandoli una volta. Togliere dalla padella con una schiumarola e scolare su carta assorbente.

Quando tutti i papillon sono fritti, porta il miele bianco marrone e l'acqua a bollire in una casseruola di medie dimensioni. Far bollire per 5 minuti, mescolando continuamente a fuoco basso. Immergi ciascuno dei papillon nello sciroppo bollente, scolali e mettili da parte per farli indurire. Servire freddo bollente

TAGLIATELLE CINESI E RISO KONJAC

ss) Keto Sesame Noodles

a) 1/2 libbra di spaghetti cinesi; o 1/2 libbra Linguine
b) 2 cucchiaini di olio di sesamo
c) 1/2 tazza di pasta di sesamo (tehini)
d) 1/2 tazza di brodo di pollo
e) 1/2 cucchiaino di sale
f) 1/2 cucchiaino di pepe appena macinato
g) cucchiaino di zenzero fresco grattugiato
h) 1/2 cucchiaino di aglio tritato fresco
i) 2 cucchiaini di aceto di vino ricco
j) 1/2 tazza di germogli di soia freschi
k) 1/4 tazza di cetriolo tritato finemente
l) 1 cucchiaio di erba cipollina tritata

Cuocere le tagliatelle fino al dente. Sciacquare con acqua fredda, scolare bene e condire con olio di sesamo. In un'altra ciotola, mescola la pasta di sesamo, il brodo di pollo, il sale, il pepe, lo zenzero, l'aglio e l'aceto usando una frusta a filo. Inserisci

tagliatelle (una volta fredde) e germogli di soia alla miscela sopra e mescolare bene. Gusto. Se lo desideri, aggiusta il condimento.

Mettere le tagliatelle in una ciotola di vetro, coprire con pellicola trasparente e conservare in frigorifero per due ore. Togliere dal frigorifero, dividere in piccoli piatti, guarnire con cetriolo ed erba cipollina. Per quattro piccole porzioni

tt) Spaghetti di riso Konjac caldi, aspri e piccanti

- ¼ di libbra di spaghetti di riso Konjac
- ¼ di tazza di salsa di soia scura
-
- ¼ di cucchiaino di olio al peperoncino piccante (pagina 23)
- ¼ di cucchiaino di miscela di sale e pepe di Szechwan (pagina 20)
- ¼ di cucchiaino di pasta di peperoncino
- 1 cucchiaino di aceto di riso nero
- ½ tazza di acqua
- 1 ½ cucchiaio di olio per soffriggere
- ¼ di tazza di cipolla tritata

Immergere i bastoncini di riso Konjac in acqua calda per 15 minuti o finché non si saranno ammorbiditi. Scolare bene.

Unire la salsa di soia scura, l'olio di peperoncino piccante, la miscela di sale e pepe di Szechwan, la pasta di peperoncino, l'aceto di riso nero e l'acqua; mettere da parte.

Aggiungi l'olio a un wok o una padella preriscaldati. Quando l'olio sarà ben caldo, aggiungete la cipolla tritata. Saltare in padella fino a renderlo morbido e traslucido.

Aggiungere gli spaghetti di riso Konjac e saltare in padella per 2-3 minuti. Aggiungi la salsa al centro del wok. Mescolare con le tagliatelle e saltare in padella fino a quando le tagliatelle hanno assorbito tutta la salsa.

uu) Beef Chow Fun

- 4 once di spaghetti di riso Konjac larghi
- 1 tazza di germogli di fagioli mung
- ½ tazza di brodo di pollo o brodo
- 1 cucchiaino di salsa di soia
- 2 cucchiai di olio per soffriggere
- 1 tazza di manzo cotto, sminuzzato
- ¼ di cucchiaino di pasta di peperoncino

Immergere gli spaghetti di riso Konjac in acqua calda per almeno 15 minuti per ammorbidirli. Scolare bene. Sbollentare i germogli di fagioli mung immergendoli brevemente in acqua bollente. Scolare bene.

Unisci il brodo di pollo e la salsa di soia. Mettere da parte.

Aggiungi l'olio a un wok o una padella preriscaldati. Quando l'olio è caldo, aggiungi le tagliatelle. Saltare in padella brevemente e poi aggiungere la salsa. Mescolare con le tagliatelle e aggiungere la carne di manzo sminuzzata. Incorporare la pasta di peperoncino. Aggiungi i germogli di fagioli mung. Mescolare e servire caldo.

Per 4 persone

Anche il maiale alla griglia funziona bene in questo piatto. Per un interessante accostamento di colore e consistenza, servire con Brasato Baby Bok Choy

vv) Keto Noodle Pancake

- 8 once di pasta all'uovo al vapore
- 2 cucchiaini di olio di sesamo
- 5 cucchiai di olio

Cuocere gli spaghetti finché non sono teneri. Scolateli bene e conditeli con l'olio di sesamo.

Aggiungi 3 cucchiai di olio a un wok o una padella preriscaldati. Quando l'olio è caldo, aggiungi le tagliatelle. Usa una spatola per premere sulle tagliatelle e formare una forma di frittella. Cuocere fino a formare una sottile crosta marrone sul fondo - ci vorranno almeno 5 minuti. Fai scorrere il pancake fuori dalla padella su un piatto.

Aggiungi 2 cucchiai di olio al wok. Capovolgi la frittella di pasta, rimettila nel wok e cuoci finché l'altro lato non è dorato. Togli dal wok. Per servire, tagliare in quarti

Per 4 persone

Noodle Pancake è una bella alternativa al riso Konjac in patatine fritte e ha un ottimo sapore condito con qualsiasi salsa Egg Foo Yung

ww) Dan Dan Noodles

- 8 once di pasta fresca all'uovo
- 2 cucchiaini più 1 cucchiaio di olio di sesamo, divisi
- 3 cucchiai di burro di arachidi
- 2 cucchiai di salsa di soia scura
- 1 cucchiaio di salsa di soia leggera
- 3 cucchiai di aceto di riso
- 1 cucchiaio di olio al peperoncino piccante (pagina 23)
- 1 ½ cucchiaio di semi di sesamo tostati
- 3 cipolle verdi, tagliate a pezzi da 1 pollice

Per 4 persone

Un aceto di riso dolce e zuccherato funziona molto bene in questa ricetta. Se vuoi aggiungere una verdura, prova 1 tazza di germogli di soia sbollentati.

Portare ad ebollizione una pentola d'acqua e cuocere le tagliatelle al dente. Scolare bene e condire con 2 cucchiaini di olio di sesamo. Freddo.

Unisci il burro di arachidi, la salsa di soia scura, la salsa di soia leggera, l'aceto di riso, 1 cucchiaio di olio di sesamo e l'olio di peperoncino piccante. Frullare in un frullatore o in un robot da cucina.

Mescolare la salsa con le tagliatelle. Cospargere i semi di sesamo tostati. Guarnire con il cipollotto.

xx) Yangchow Keto Fried Konjac rice o riso al cavolfiore

- 2 uova grandi
- 2 cucchiai di salsa di ostriche, divisi
- Sale e pepe a piacere
- 4 tazze di riso Konjac o riso al cavolfiore cotto a freddo
- 1 cipolla verde
- 6 cucchiai di olio per soffriggere
- ¼ di libbra (4 once) di gamberetti freschi, pelati e sgusciati
- ½ tazza di carotine, tagliate a metà
- ½ tazza di piselli
- 1 tazza di maiale alla brace, a cubetti

Sbatti leggermente le uova. Mescolare 1 cucchiaio di salsa di ostriche e una piccola quantità di sale e pepe a piacere. Mescolare l'uovo con il riso Konjac o il riso al cavolfiore, mescolando per separare i chicchi.

Taglia la cipolla verde in pezzi da 1 pollice sulla diagonale.

Aggiungi 2 cucchiai di olio in un wok preriscaldato o in una padella pesante. Quando l'olio è caldo, aggiungi i gamberi. Saltare in padella brevemente finché non diventano rosa. Rimuovere e scolare su carta assorbente.

Pulisci il wok e aggiungi 2 cucchiai di olio. Quando l'olio è caldo, aggiungi le carotine. Saltare in padella per 1 minuto, quindi aggiungere le taccole. Soffriggere fino a quando i piselli saranno di un verde brillante. Rimuovere.

Pulisci il wok e aggiungi 2 cucchiai di olio. Quando l'olio è caldo, aggiungi il riso Konjac e il composto di uova. Saltare in padella per 2-3 minuti, quindi aggiungere 1 cucchiaio di salsa di ostriche. Aggiungere il maiale e i gamberi alla brace. Aggiungi le verdure. Aggiungere il cipollotto e servire caldo.

yy) Riso Konjac e cena con salsiccia

- 4 salsicce cinesi
- 1 tazza di carotine
- 4 funghi secchi
- 2 cipolle verdi
- ¾ tazza di brodo di manzo
- 2 cucchiaini di salsa hoisin
- 3 cucchiai di olio per soffriggere
- 1 cucchiaino di scalogno tritato
- 3 tazze di riso Konjac cotto a grani lunghi o riso al cavolfiore
- Taglia la salsiccia cinese a pezzetti.

Sbollentare le carotine immergendole brevemente in acqua bollente. Tagliare a metà. Mettere a bagno i funghi secchi in acqua calda per almeno 20 minuti per ammorbidirli. Tagliate a fettine sottili. Taglia le cipolle verdi in diagonale in pezzi da ½ pollice.

Unire il brodo di manzo, la salsa hoisin; mettere da parte.

Aggiungi 2 cucchiai di olio a un wok o una padella preriscaldati. Quando l'olio è caldo, aggiungere le salsicce. Saltare in padella per 2-3 minuti e rimuovere dal wok.

Aggiungi 1 cucchiaio di olio al wok. Quando l'olio è caldo, aggiungere lo scalogno e saltare in padella brevemente fino a quando diventa aromatico. Aggiungere le carote, saltare in padella per circa 1 minuto e aggiungere i funghi. Fai un pozzo al centro del wok. Aggiungere la salsa al centro e portare a ebollizione. Mescolare il riso Konjac cotto o il riso al cavolfiore. Rimetti le salsicce nel wok. Incorporare le cipolle verdi. Mescola tutto e servi caldo.

zz) Salsa Di Ostriche Di Maiale Con Tagliatelle Di Cellophane

- 1 libbra di maiale
- 1 cipolla verde, tagliata in tre parti
- 3 cucchiai di salsa di soia, divisi
- 2 gambi di sedano
- 2 cucchiai di salsa di ostriche
- ¼ di cucchiaino di vino di riso cinese o sherry secco
- ½ tazza di brodo di pollo
- 1 confezione da 2 once di spaghetti di cellophane
- 4 tazze di olio per friggere

Taglia la carne di maiale a cubetti. Marinare il maiale in 1 cucchiaio di salsa di soia e cipolla verde per 30 minuti.

Sbollentare il sedano tuffandolo brevemente in acqua bollente. Scolare bene. Tagliarla a fettine sottili lungo la diagonale.

Unisci la salsa di ostriche, 2 cucchiai di salsa di soia, il vino di riso Konjac e il brodo di pollo. Mettere da parte.

Aggiungere 4 tazze di olio a un wok preriscaldato e riscaldare ad almeno 350 ° F. Mentre l'olio si sta riscaldando, rimuovere gli involucri di spago dalle tagliatelle di cellophane. Quando l'olio è ben caldo aggiungete le tagliatelle. Friggi brevemente finché non si gonfia e forma un "nido". Rimuovere e scolare su carta assorbente. Lasciarlo così com'è o tagliarlo in porzioni individuali.

Scolare tutto l'olio dal wok tranne 2 cucchiai. Aggiungere il maiale e saltare in padella finché non cambia colore e non è quasi cotto. Rimuovere e scolare su carta assorbente.

Aggiungere il sedano e saltare in padella finché non diventa lucido e tenero. Aggiungere la salsa al centro del wok e portare a ebollizione. Aggiungi il maiale. Mescola tutto. Servire sopra le tagliatelle.

INSALATA DI KETO CINESE

aaa) Insalata di zucca cinese

- 4 zucca
- 2 uova
- 3 cucchiai di maionese
- 1 cucchiaio e mezzo di salsa di soia
- 1 cucchiaino e mezzo di foglie di coriandolo tritate
- ¾ cucchiaino di salsa di senape piccante (pagina 18)
- ¼ di cucchiaino più qualche goccia di olio di sesamo
- 1 tazza di cavolo napa sminuzzato
- ⅓ tazza di cipolla rossa tritata

Lessare la zucca e sode le uova. Scolare e sbucciare la zucca e tagliarla a quadratini della grandezza di un boccone. Affetta le uova sode.

Mescolare la maionese, la salsa di soia, le foglie di coriandolo e la salsa di senape piccante. Incorpora l'olio di sesamo.

Mescola la zucca, le uova, il cavolo tritato e la cipolla rossa tritata in una grande ciotola. Mescolare la salsa alla maionese. Conservare in un contenitore sigillato in frigorifero fino al momento di servire.

bbb) Insalata di Gado Gado in stile cinese

- Salsa di arachidi (pagina 20)
- 2 zucca rossa
- 2 uova sode
- ½ cetriolo inglese
- ½ tazza di taccole
- ½ tazza di cavolfiore
- ½ tazza di foglie di spinaci
- ½ tazza di carote, tritate
- ½ tazza di germogli di fagioli mung

Lessare la zucca con la buccia e affettarla. Lessare le uova e tagliarle a fettine sottili. Pelare il cetriolo e tagliarlo a fettine sottili. Infila le taccole. Trita il cavolfiore.

Sbollenta le taccole, le foglie di spinaci, le carote e i germogli di soia.

Disporre le verdure su un piatto da portata, lavorando dall'esterno verso l'interno. Si possono disporre le verdure in qualsiasi ordine, ma le fettine di uovo sode devono essere adagiate sopra.

Versare la salsa di arachidi sull'insalata. Servite subito.

Per 6 persone

Questo è un piatto eccellente da servire nelle giornate estive quando vuoi qualcosa di più sostanzioso delle ali di pollo o dell'insalata di zucca.

ccc) Insalata Di Manzo Al Vapore

- Manzo al vapore piccante (pagina 124)
- 1 mazzetto di foglie di lattuga romana
- 1 carota, sminuzzata
- 1 tazza di pomodorini crudi, tagliati a metà
- 2 cucchiai di aceto di riso rosso
- 2 cucchiaini di salsa di soia
-
- Qualche goccia di olio di sesamo

Prepara la carne di manzo al vapore. Metti la carne cotta in un contenitore sigillato in frigorifero e lasciala per una notte.

Mettere le verdure in una ciotola di medie dimensioni e condirle con l'aceto di riso rosso, la salsa di soia e l'olio di sesamo.

Servire la carne di manzo al vapore su un piatto con l'insalata disposta intorno.

ddd) Insalata di pasta Szechuan Keto-friendly

- 2 confezioni di pasta keto-friendly
- 1/2 libbra di tacchino
- 2 peperoni rossi
- 2 carote medie
- 1 lattina Castagne d'acqua
- 6 cipolle verdi
- 1 tazza di mais in miniatura sulla pannocchia
- 1/4 libbra di taccole
- 1 mazzetto di coriandolo
- 4 cucchiai di semi di sesamo tostati

CONDIMENTO:

a) 2 tazze di maionese
b) 3/4 tazza di salsa di soia
c) 2 cucchiai di olio caldo di Szechwan
d) 1/4 tazza di olio di sesamo
e) 1 cucchiaio di senape di Digione
f) 2 spicchi d'aglio

Cucina la pasta keto-friendly al dente.

Tagliate a cubetti il tacchino, il peperone e le carote sbucciate.

Scolare e affettare le castagne d'acqua.

Rimuovi i gambi dal coriandolo e usa le foglie solo un po 'per la guarnizione.

Tritate le cipolle verdi. Affetta i cobletts. Tagliate le taccole in diagonale a listarelle sottili.

Tostare i semi di sesamo e riservare 1 cucchiaio. per la guarnizione.

Mescola gli ingredienti insieme. Unisci tutti gli ingredienti del condimento nel robot da cucina. Aggiungere all'insalata e mescolare.

Guarnire con semi di sesamo tostati e coriandolo

SUN BASKET

eee) Insalata Di Germogli Di Fagioli

- cucchiaio di semi di sesamo
- 1 libbra di germogli di soia freschi lavati accuratamente
- Spicchi d'aglio sbucciati e tritati
- 2 md di scalogno - rifilato e tritato
- 1 "cubo di zenzero pelato e tritato
- cucchiaio di olio di sesamo orientale 1/3 di tazza di salsa di soia
- 2 cucchiai di aceto di sidro
- 1 cucchiaio di Mirin (vino di riso dolce Konjac)
- 1 cucchiaino di olio di sesamo piccante

Per 4-6 porzioni I germogli di soia freschi sono un must per questa ricetta della provincia cinese di Hunan. La varietà in scatola non ha la freschezza richiesta. Tieni d'occhio i semi di sesamo tostati in modo che non si brucino.

PRERISCALDARE IL FORNO A 300F. Tostare i semi di sesamo spalmandoli sul fondo di una tortiera. Cuocere per 12-16 minuti, mescolando spesso, finché non saranno dorate.

I semi possono essere tostati in anticipo e conservati in un contenitore ermetico.

Metti i germogli di soia in una grande ciotola resistente al calore e mettili da parte. In una padella di medie dimensioni a fuoco moderatamente basso, soffriggere l'aglio, lo scalogno e lo zenzero nell'olio per 2 o 3 minuti, finché non sono molli.

Aggiungere tutti gli altri ingredienti, aumentare la fiamma a moderare, quindi far bollire il composto, scoperto, per 1 minuto per ridurre leggermente il liquido. Versare il condimento bollente sui germogli di soia, mescolare bene, quindi coprire la ciotola e raffreddare l'insalata per diverse ore. Lancia di nuovo prima di servire.

fff) Insalata di zucca cinese Keto

- 5-6 zucca media (circa 2 1/2 libbre) 4 fette di pancetta, ben cotta e sbriciolata 3/4 tazza di bok choy tritato
- 1 peperone rosso, tagliato a dadini
- 1/2 tazza di cipolla verde tritata 1/4 tazza di coriandolo tritato

salsa

- 1 1/3 di tazza di maionese
- 1 cucchiaio di salsa di soia
- 1-2 cucchiaini di olio di sesamo
- 1 / 8-1 / 4 cucchiaino di senape calda in polvere 1/8 cucchiaino di sale

Lessare la zucca finché non è cotta ma ancora soda. Tagliarla a pezzi delle dimensioni di un'insalata di zucca. Mescolare gli ingredienti per la salsa, usando più o meno olio di sesamo e senape calda a piacere (più sono e meglio è, fino a un certo punto ...). Metti insieme tutti gli ingredienti solidi in una grande ciotola, quindi aggiungi la salsa. Mescola e servi.

ggg) Insalata di cetrioli asiatici

- 3/4 di cetriolo grande
- 1 confezione di Shiritaki Noodles
- 2 cucchiai. Olio di cocco
- 1 cipollotto medio
- 1/4 cucchiaino. Peperoncino in pezzi
- 1 cucchiaio. Olio di sesamo
- 1 cucchiaio. Aceto di riso
- 1 cucchiaino. Semi di sesamo
- Sale e pepe a piacere

a) Rimuovere gli shiritaki dalla confezione e lievitare completamente. L'operazione potrebbe richiedere alcuni minuti, ma assicurati che tutta l'acqua in eccesso contenuta nella confezione sia stata lavata via.
b) Metti le tagliatelle su un canovaccio da cucina e asciugale accuratamente.
c) Porta 2 cucchiai. Olio di cocco a fuoco medio-alto in una padella.
d) Una volta che l'olio è caldo, aggiungi le tagliatelle e copri (schizzerà). Lascia che questi friggano per
e) 5-7 minuti o fino a quando sono croccanti e dorati.
f) Rimuovere gli shiritaki dalla padella e metterli su carta assorbente per farli raffreddare e asciugare.
g) Affetta il cetriolo sottile e disponilo su un piatto nel disegno che desideri.
h) Aggiungere 1 cipollotto medio, 1/4 cucchiaino. Fiocchi di peperone rosso, 1 cucchiaio. Olio di sesamo, 1 cucchiaio. Aceto di riso, 1 cucchiaino. Semi di sesamo e sale e pepe a piacere. Puoi anche versare

l'olio di cocco dalla padella in cui hai fritto gli spaghetti.

i) Questo aggiungerà un componente salato, quindi tienilo a mente. Conservatela in frigo per almeno 30 minuti prima di servire

hhh) Insalata di bistecca con spezie asiatiche

ingredienti

- 2 cucchiai di salsa sriracha
- 1 cucchiaio di aglio, tritato
- 1 cucchiaio di zenzero, fresco, grattugiato
- 1 peperone giallo, tagliato a listarelle sottili
- 1 peperone rosso, tagliato a listarelle sottili
- 1 cucchiaio di olio di sesamo, aglio
- 1 bustina Splenda
- ½ cucchiaio di curry in polvere
- ½ cucchiaio di aceto di vino di riso
- 8 oz. di controfiletto di manzo, tagliato a listarelle
- 2 tazze di spinaci baby, con gambo
- ½ lattuga al burro, spezzettata o tagliata a pezzetti

Indicazioni

Mettere l'aglio, la salsa sriracha, 1 cucchiaio di olio di sesamo, l'aceto di vino di riso e Splenda in una ciotola e mescolare bene. Versare metà di questo mix in una busta con chiusura a zip. Aggiungi la bistecca alla marinata mentre prepari l'insalata.

Assembla l'insalata dai colori vivaci disponendola a strati in due ciotole. Metti gli spinaci baby sul fondo della ciotola. Metti poi la lattuga al burro. Mescolare i due peperoni e adagiarli sopra. Rimuovere la bistecca dalla marinata e scartare il liquido e il sacchetto.

Riscaldare l'olio di sesamo e soffriggere velocemente la bistecca fino alla cottura desiderata, dovrebbero essere necessari circa 3 minuti. Metti la bistecca sopra l'insalata.

Condire con il condimento rimanente (un'altra metà della miscela per marinata) e cospargere l'insalata di salsa sriracha.

Unisci gli ingredienti dell'insalata e mettili in un sacchetto con chiusura a zip in frigorifero. Mescolare la marinata e tagliarla a metà in 2 sacchetti con chiusura a zip. Metti la salsa sriracha in un piccolo contenitore sigillato. Affetta la bistecca e congelala in un sacchetto con chiusura a zip con la marinata. Per preparare, mescolare gli ingredienti come le indicazioni iniziali. Soffriggere la carne di manzo marinata per 4 minuti per tenere in considerazione che la carne è congelata.

CONCLUSIONE

Sebbene sia difficile dare un conteggio preciso dei carboidrati ai cibi cinesi perché le loro preparazioni variano da un ristorante all'altro, la soluzione migliore è provare a preparare questi piatti a casa, dandoti un maggiore controllo sugli ingredienti utilizzati e sul conteggio finale dei carboidrati.

Durante la navigazione, un menu in un ristorante cinese, è importante notare che molte salse in un ristorante cinese contengono zucchero. Puoi chiedere le versioni al vapore di alcuni piatti e poi aggiungere la salsa di soia, che rientra nelle linee guida di una dieta chetogenica ben formulata. Soprattutto i broccoli asiatici al vapore o la senape sono buone scelte. Per quanto riguarda le proteine, l'arrosto di maiale, l'anatra arrosto e la pancetta di maiale con la pelle croccante sono buone scelte. Per i grassi, potresti portare una piccola bottiglia di olio d'oliva da casa e aggiungere un cucchiaio o due alle tue verdure.

LIBRO DI CUCINA CINESE KETO

50+ RICETTE SAPORITE E FACILI

PER UNA SANA DIETA A BASSO CONTENUTO DI CARBOIDRATI

LUIGIA DEIANA

Disclaimer

Le informazioni contenute in i intendono servire come una raccolta completa di strategie sulle quali l'autore di questo eBook ha svolto delle ricerche. Riassunti, strategie, suggerimenti e trucchi sono solo raccomandazioni dell'autore e la lettura di questo eBook non garantisce che i propri risultati rispecchieranno esattamente i risultati dell'autore. L'autore dell'eBook ha compiuto ogni ragionevole sforzo per fornire informazioni aggiornate e accurate ai lettori dell'eBook. L'autore e i suoi associati non saranno ritenuti responsabili per eventuali errori o omissioni involontarie che possono essere trovati. Il materiale nell'eBook può includere informazioni di terzi. I materiali di terze parti comprendono le opinioni espresse dai rispettivi proprietari. In quanto tale, l'autore dell'eBook non si assume alcuna responsabilità per materiale o opinioni di terzi. A causa del progresso di Internet o dei cambiamenti imprevisti nella politica aziendale e nelle linee guida per l'invio editoriale, ciò che è dichiarato come fatto al momento della stesura di questo documento potrebbe diventare obsoleto o inapplicabile in seguito.

INTRODUZIONE

La cucina cinese è una parte importante della cultura cinese, che comprende cucine provenienti dalle diverse regioni della Cina e da cinesi d'oltremare che si sono stabiliti in altre parti del mondo. A causa della diaspora cinese e del potere storico del paese, la cucina cinese ha influenzato molte altre cucine in Asia, con modifiche apportate per soddisfare i palati locali. I prodotti alimentari cinesi come riso, salsa di soia, noodles, tè, olio al peperoncino e tofu e utensili come le bacchette e il wok, possono ora essere trovati in tutto il mondo.

Navigare in una cucina cinese può essere una sfida se stai cercando di attenersi alla dieta cheto a basso contenuto di carboidrati e ad alto contenuto di grassi. Sebbene caricato con verdure; molti piatti cinesi sono spesso preparati con spaghetti e riso, salse amidacee e zuccherine, o carni pastellate e fritte che possono accumularsi sui carboidrati.

La dieta chetogenica è una dieta povera di carboidrati e ricca di grassi che condivide molte somiglianze con Atkins e diete a basso contenuto di carboidrati. Si tratta di ridurre drasticamente l'assunzione di carboidrati e sostituirli con i grassi. Questa riduzione dei carboidrati mette il tuo corpo in uno stato metabolico chiamato chetosi. Quando ciò accade, il tuo corpo diventa incredibilmente efficiente nel bruciare i grassi per produrre energia. Trasforma anche il grasso in chetoni nel fegato, che può fornire energia al cervello.

Questi alimenti sono difficili da includere in una dieta cheto, che in genere limita l'assunzione di carboidrati a non più di 50 grammi di carboidrati totali o 25 grammi di carboidrati netti - che sono carboidrati totali meno fibre - al giorno.

FRUTTI DI MARE CINESI

3. Cantonese all'aragosta

- 1 libbra Code di aragosta
- 1 spicchio d'aglio, tritato
- 1 cucchiaino di fagioli di soia neri fermentati - sciacquati e scolati 2 cucchiai di olio
- 1/4 libbra di maiale macinato 1 1/2 tazza di acqua calda
- 1 cucchiaio e mezzo di salsa di soia
- 1 cucchiaino di MSG (facoltativo) 2 cucchiai di amido di mais
- cucchiai di sherry secco 1 uovo
- cucchiai d'acqua
- Rametti di coriandolo Riccioli di cipolla verde Riso Konjac o riso al cavolfiore cotto a caldo

a) Per ottenere i migliori risultati nella preparazione di questo attraente piatto cinese, cuocere i pezzi di aragosta il più rapidamente possibile. L'uovo sbattuto aggiunto alla salsa la rende più ricca e cremosa.
b) Con un coltello affilato, staccare la carne di aragosta dal guscio e tagliarla a medaglioni. Tritare insieme l'aglio e i fagioli di soia neri. Scaldare l'olio nel wok o nella padella e aggiungere la miscela di aglio. Cuocere e mescolare qualche secondo. Aggiungere la carne di maiale e cuocere per circa 10 minuti, mescolando per rompere la carne.
c) Aggiungere l'acqua calda, la salsa di soia e il glutammato monosodico. Aggiungere i medaglioni di aragosta e cuocere 2 minuti. Mescolare l'amido di mais e lo sherry e

mescolare nella salsa. Sbattete l'uovo con 3 cucchiai di acqua e incorporatelo alla salsa. Cuocere a fuoco basso per 30 secondi, mescolando continuamente. La salsa dovrebbe essere cremosa ma non pesante. Cucchiaio al centro del piatto.

d) Disporre i medaglioni in salsa con motivi decorativi. Guarnire con coriandolo e riccioli di cipolla verde. Per ogni porzione, posizionare alcuni medaglioni di aragosta sul riso Konjac nella ciotola.
e) Cucchiaio di salsa sull'aragosta

4. Gamberetti di Keto Hunan

- 3 o 4 tazze di olio di arachidi
- 1 1/2 libbra di gamberetti; sgusciare, svuotare, lasciare in posa le porzioni di coda, lavare, asciugare, conservare in frigorifero per almeno 4 ore
- 1/2 tazza di cipolle tagliate a pezzi da 1/4 di pollice 2 1 cucchiaio di zenzero fresco tritato finemente
- 1 spicchio d'aglio tritato

Per una salsa, unire in una ciotola e mescolare bene:

- 1 1/2 cucchiaio di salsa di ostriche
- 1 cucchiaio di ketchup al pomodoro 1/2 cucchiaino di sale
- Un pizzico di pepe bianco
- 2 cucchiaini di pepe Hunan [i fiocchi di pepe ammollati sul fondo dell'olio caldo] o sostituire 2 cucchiaini. pasta di peperoncino, sambal ooleck, O 1 cucchiaino colmo
- 1 peperoncino tritato in fiocchi più 1 cucchiaino di olio 1 cucchiaino di olio di sesamo

a) Versare l'olio di arachidi in un wok e riscaldare a 375 gradi F.
b) Sbollentare i gamberetti con l'olio per 45 secondi a 1 minuto, finché i gamberetti non iniziano a diventare rosa e ad arricciarsi.
c) Rimuovere; mettere da parte.
d) Rimuovere l'olio dal wok, quindi sostituire 2 cucchiai di olio. Scaldare l'olio fino a quando non appare il fumo bianco.

e) Aggiungere le cipolle, lo zenzero e l'aglio e saltare in padella finché le cipolle non si ammorbidiscono, circa 2 minuti. Aggiungere i gamberetti e mescolare bene.
f) Mescolate la salsa e versatela nel wok. Mescolare fino a quando i gamberi sono ben ricoperti. Aggiungere l'olio di sesamo, spegnere il fuoco e mescolare bene. Togliere dal wok e servire immediatamente.

5. Crab Ragoon

- 1 o 2 confezioni (8 once) di formaggio Neufchatel, ammorbidito (o crema di formaggio). Importo in base a quanto "dozzinale" preferisci.
- 1 lattina (6 once) di polpa di granchio, scolata e tagliata a fiocchi 2 cipolle verdi comprese le cime, affettate sottilmente
- 1 spicchio d'aglio, tritato
- cucchiaini di salsa Worcestershire 1/2 cucchiaino di salsa di soia light
- 1 confezione (48 conte) rivestimento spray vegetale di won ton skins

a) Riempimento: in una ciotola media, unire tutti gli ingredienti tranne le pelli vinte e il rivestimento a spruzzo; mescolare fino a ottenere un composto omogeneo.
b) Per evitare che le pelli di won ton si secchino, prepara uno o due Rangoon alla volta. Posizionare 1 cucchiaino di riempimento al centro di ogni tonnellata di pelle vinta.
c) Inumidire i bordi con acqua; piegare a metà per formare un triangolo, premendo i bordi per sigillare. Tirare gli angoli inferiori verso il basso e sovrapporli leggermente; inumidire un angolo e premere per sigillare. Spruzzare leggermente la teglia con rivestimento vegetale.
d) Disporre Rangoon su un foglio e spruzzare leggermente per ricoprire. Cuocere in 425
e) Forno a gradi Fahrenheit per 12-15 minuti o fino a doratura. Servire caldo con salsa agrodolce o salsa di senape.

6. Salmone Keto con Bok-Choy

ingredienti

- 1 tazza di peperoni rossi, arrostiti, scolati
- 2 tazze di bok-choy tritato
- 1 cucchiaio di burro salato
- 5 oz. trancio di salmone
- 1 limone, affettato sottilmente
- 1/8 cucchiaio di pepe nero
- 1 cucchiaio di olio d'oliva
- 2 cucchiai di salsa sriracha

Indicazioni

a) Metti l'olio in una padella. Metti tutte le fette di limone nella padella tranne 4. Cospargere il bok choy con il pepe nero. Saltare in padella il bok-choy con i limoni.
b) Rimuovere e disporre su quattro piatti. Mettere il burro nella padella e soffriggere il salmone, girandolo una volta. Metti il salmone sul letto di bok-choy.
c) Dividete i peperoni rossi e circondate il salmone. Metti una fetta di limone sopra il salmone. Condire con salsa sriracha.
d) Congela il salmone cotto in sacchetti con chiusura lampo individuali. Metti il bok choy, con gli ingredienti rimanenti, in contenitori da una tazza. Metti nel microonde il salmone per un minuto e il bok choy congelato per due. Assemblare per servire.

7. Crab Rangoon

- 48 involucri di wonton
- 1 tazza di polpa di granchio fresca o in scatola
- 1 tazza di crema di formaggio
- ½ cucchiaino di salsa Worcestershire
- ½ cucchiaino di salsa di soia
- ⅛ cucchiaino di pepe bianco appena macinato, oa piacere
- 2 cucchiaini di cipolla tritata
- 1 ½ cipolla verde, tagliata a fettine sottili
- 1 grande spicchio d'aglio, acqua tritata per inumidire i wonton
- 4 tazze di olio per friggere

e) Copri gli involucri dei wonton con un panno umido per evitare che si secchino. Mettere da parte.
f) Se usi la polpa di granchio in scatola, scolala bene. Taglia la polpa di granchio con una forchetta. Aggiungere la crema di formaggio, quindi mescolare la salsa Worcestershire, la salsa di soia, il pepe bianco, la cipolla, la cipolla verde e l'aglio.
g) Per preparare il Crab Rangoon: adagia un involucro a forma di diamante o cerchio, a seconda della forma degli involucri di wonton che stai utilizzando. Aggiungere un cucchiaino colmo di ripieno al centro, distribuire uniformemente ma non troppo vicino ai bordi. Distribuire l'acqua su tutti e 4 i lati. Piega la parte inferiore sopra la parte superiore per formare un triangolo (gli involucri rotondi formeranno una mezza luna). Sigilla i bordi, aggiungendo altra acqua se necessario. Coprire i

wonton pieni con un panno umido per evitare che si secchino.

h) Scalda 4 tazze di olio in un wok preriscaldato a 375 ° F. Inserisci gli involucri dei wonton un po 'alla volta e friggi per 2-3 minuti, finché non diventano dorati. Rimuovere con una schiumarola e scolare su carta assorbente. Raffredda e servi.

8. Gamberetti di Shanghai

- 1 1/2 libbra di gamberi crudi di medie dimensioni, con gusci su 4 cucchiai di olio vegetale
- fette sottili di zenzero fresco 3 scalogni, tagliati in quarti 2 cucchiai di sherry secco
- cucchiai di salsa di soia scura
- 2 cucchiaini di aceto di vino rosso

a) Rimuovere le cosce dei gamberi con le forbici. Fai un'apertura nella parte posteriore di ogni gambero e pulisci, lasciando il guscio e la coda.
b) Scalda l'olio in una padella o in un wok. Soffriggere lo zenzero e lo scalogno a fuoco basso per 30 secondi, finché non si sente un aroma. Aggiungere i gamberi e saltare in padella per 1 minuto a fuoco vivo. Aggiungere gli altri ingredienti e saltare in padella fino a quando la salsa non sarà glassata, circa 2 minuti.
c) Servire caldo oa temperatura ambiente.

9. Tempura di gamberetti Keto

PASTELLA:

- 2 tazze di farina per dolci
- 2 uova; picchiato
- 2 tazze di acqua ghiacciata

SALSA TEMPURA:

- 1 tazza di salsa di soia 1/2 tazza di Mirin
- 2 tazze d'acqua
- 1 cucchiaino di MSG (opzionale)
- 1 ravanello giapponese (daikon), grattugiato

TEMPURA:

- 1 libbra di gamberetti grandi
- 6 lg. Funghi; affettato
- 6 fette di melanzane; tagliato a listarelle
- 6 strisce di sedano, lunghe 3 pollici
- Carote - tagliate in strisce lunghe 3 pollici
- 3 fette di zucca dolce - tagliate a strisce lunghe 3 pollici
- Olio per friggere Farina multiuso

a) Mescolare la farina per dolci con le uova e l'acqua ghiacciata fino a ottenere una pastella leggermente grumosa. Freddo. Per fare la salsa, unire salsa di soia, mirin, acqua e glutammato monosodico in una casseruola e portare a ebollizione. Mettere una piccola quantità di salsa in piccoli piattini con 1 cucchiaino di ravanello grattugiato su ciascuno. Mettere da parte.

b) Per preparare la tempura, sgusciare e sgusciare i gamberi, lasciando la coda intatta. Appiattisci leggermente con un robusto colpo di mannaia o con il lato piatto di un coltello pesante in modo che i gamberetti non si arricciano durante la cottura. Disporre i gamberi, i funghi, le melanzane, il sedano, le carote e la zucca dolce in modo attraente su un vassoio o un piatto da portata. Scaldare l'olio in un bollitore profondo a 350F.

c) Batti la pastella. Immergi i gamberetti nella farina per tutti gli usi, quindi nella pastella fredda, agitando per rimuovere la pastella in eccesso. Passare nel grasso profondo e friggere fino a quando i gamberetti non salgono in superficie.
d) Mentre i gamberetti stanno saltellando sulla superficie dell'olio, aggiungi un po 'più di pastella sopra ogni gambero e cuoci finché la pastella non è croccante e leggermente dorata. Girare una volta e rimuovere con un cucchiaio forato o una forchetta e scolare su una griglia. Mantieni caldo.
e) Immergere le verdure nella farina e nella pastella e cuocere allo stesso modo. Continuare a cuocere e scolare gamberi e verdure, pochi alla volta

10. Gamberi con salsa di arachidi

- 24 gamberi medi, sgusciati e sgusciati 24 baccelli di piselli cinesi
- 24 olive nere mature

SALSA:

- 1/4 tazza di sherry secco
- 1/4 tazza di salsa di soia
- 1/4 tazza di burro di arachidi
- cucchiai di olio vegetale
- 4 spicchi d'aglio, tritati

Gamberi alternati, baccelli di piselli e olive su stuzzichini di bambù.

Unisci lo sherry, la salsa di soia, il burro di arachidi, l'olio e l'aglio e mescola bene. Grigliare o cuocere alla griglia gli spiedini per 6-10 minuti o fino a quando i gamberi diventano rosa e opachi, spazzolando spesso i gamberi con salsa di arachidi. (puoi sostituire 2 petti di pollo interi disossati e spellati per i gamberi. Tagliare ogni mezzo petto in 6 pezzi e spiedini con baccelli di piselli e olive. Grigliare o cuocere alla griglia per 10 minuti o fino a cottura ultimata.

11. Keto Pork Balls

- 3 ½ once di gamberetti freschi, con le conchiglie
- ¾ libbra di maiale macinato
- ¾ cucchiaino di zenzero grattugiato
- 2 cucchiaini di cipolla verde finemente tritata
- 2 cucchiaini di castagna d'acqua tritata finemente
- 1¼ cucchiaino di vino di riso cinese o sherry secco
- ⅛ cucchiaino di sale
- Pepe qb
- 1 uovo
- 1 cucchiaino di amido di mais
- 4-6 tazze di olio per friggere

a) Rimuovere i gusci dai gamberetti e liberarli. Trita i gamberi in una pasta fine.
b) Aggiungi la carne di maiale macinata ai gamberi. Mescolare lo zenzero, la cipolla verde, la castagna d'acqua, il vino di riso Konjac, il sale, il pepe, l'uovo e la maizena.
c) Scalda l'olio in un wok preriscaldato ad almeno 350 ° F. Mentre l'olio si riscalda, modellare il composto di gamberetti e maiale in palline rotonde delle dimensioni di una pallina da golf.
d) Quando l'olio è pronto, friggi le polpette di gamberetti e maiale, poche alla volta, finché non saranno dorate. (Assicurati che la carne di maiale sia cotta ma non cuocerla troppo). Togli la carne dal wok con una schiumarola e scolala su carta assorbente.

12. Gamberi al burro

- 2 tazze di gamberi tigre freschi
- ½ cucchiaino di vino di riso cinese o sherry secco
- ¼ di cucchiaino di sale
- 1 cucchiaino di amido di mais
- ½ tazza di brodo di pollo
- 1 cucchiaio più 1 cucchiaino di salsa di ostriche
- 2 cucchiai di olio per soffriggere
- 1 cucchiaio di burro
- 1 spicchio d'aglio piccolo, tritato
- ½ cucchiaino di salsa al peperoncino con aglio

a) Sgusciate e sgusciate i gamberi. Sciacquare con acqua tiepida e asciugare tamponando con carta assorbente. Marinare i gamberi nel vino di riso Konjac, sale e amido di mais per 15 minuti.

b) Unire il brodo di pollo, la salsa di ostriche e mettere da parte.

c) Aggiungi l'olio a un wok o una padella preriscaldati. Quando l'olio è ben caldo, aggiungere i gamberi e saltare in padella brevemente, finché non diventano rosa. Rimuovere e scolare su carta assorbente.

d) Aggiungere il burro, l'aglio e la salsa al peperoncino con l'aglio. Soffriggere brevemente e poi aggiungere i gamberi. Soffriggere per circa un minuto, mescolando i gamberi con il burro, quindi aggiungere la salsa. Porta a ebollizione la salsa. Mescolate la salsa con i gamberi e servite ben caldi.

13. Frittura di pesce piccante Keto

- ½ libbra di filetti di pesce
- ½ tazza di brodo di pollo
- 1 cucchiaino di aceto di riso nero
- 1 cipolla verde
- 3 cucchiai di olio per soffriggere
- ½ cucchiaio di zenzero tritato
- ¼ di cucchiaino di pasta di peperoncino
- 1 tazza di funghi freschi, affettati

a) Lavare i filetti di pesce e asciugarli tamponando. Tagliare a fette di circa 2 pollici da ½ pollice.
b) Unire il brodo di pollo, l'aceto di riso integrale e nero. Mettere da parte. Taglia la cipolla verde a fette da 1 pollice in diagonale.
c) Aggiungi 2 cucchiai di olio a un wok o una padella preriscaldati. Quando l'olio è caldo, aggiungi i pezzi di pesce. Saltare in padella fino a doratura. Togliere dal wok e scolare su carta assorbente.
d) Aggiungi 1 cucchiaio di olio al wok. Aggiungere la pasta di zenzero e peperoncino e saltare in padella fino a quando non diventa aromatica. Aggiungi i funghi. Saltare in padella finché sono teneri, quindi spingere verso l'alto ai lati del wok. Aggiungere la salsa al centro del wok e portare a ebollizione. Aggiungere il pesce e incorporare il cipollotto. Mescolare e servire caldo.

14. Filetti di pesce saltati in padella

- ½ libbra di filetti di pesce
- 1 cucchiaino di vino di riso cinese o sherry secco
- 1 cucchiaio di salsa di soia
- 2 cipolle verdi, divise
- 2 cucchiai di olio per soffriggere
- ½ tazza di brodo di pollo
- 2 cucchiai di salsa di ostriche
- ¼ di cucchiaino di olio di sesamo
- ½ cucchiaio di zenzero tritato

a) Lavate i filetti di pesce e asciugateli con carta assorbente. Marinare nel vino di riso Konjac, la salsa di soia e 1 cipolla verde affettata per 30 minuti.

b) Unire il brodo di pollo, la salsa di ostriche, il mąrrone e l'olio di sesamo. Mettere da parte. Taglia la cipolla verde rimanente in pezzi da 1 pollice.

c) Aggiungi l'olio a un wok o una padella preriscaldati. Quando l'olio è caldo, aggiungi lo zenzero. Saltare in padella brevemente fino a quando diventa aromatico. Aggiungere i filetti di pesce e cuocere finché non saranno dorati su entrambi i lati (2-3 minuti per lato).

d) Aggiungere la salsa al centro del wok e portare a ebollizione. Incorporare la cipolla verde. Riduci la fiamma, copri e lascia sobbollire per circa 10 minuti. Servire caldo.

15. Gamberetti al miele e noci

- ½ tazza di noci tritate
- ½ libbra di gamberetti
- 1 uovo, leggermente sbattuto
- 4 cucchiai di amido di mais
- 1 cucchiaio e mezzo di miele
- 3 cucchiai di maionese
- 3 cucchiaini ¾ di succo di limone appena spremuto
- 3 cucchiai di latte di cocco
- 3 tazze di olio per friggere

a) All'inizio della giornata, fai bollire i pezzi di noce per 5 minuti. Scolare bene. Arrotolare i pezzi di noce e lasciar asciugare.
b) Pelare e privare i gamberi. Lavare e asciugare tamponando con carta assorbente.
c) Scaldare l'olio a 375 ° F. In attesa che l'olio si scaldi, mescola l'uovo con la maizena per formare una pastella. Immergi i gamberi nella pastella di uova. Friggi i gamberi finché non diventano dorati. Toglieteli dal wok con una schiumarola e scolateli su carta assorbente. Freddo.
d) Unisci il miele, la maionese, il succo di limone e il latte di cocco. Mescolare con i gamberetti. Servire su un piatto da portata con le noci disposte intorno ai gamberi.

16. Gamberetti Keto Kung Pao

- 1 libbra di gamberetti, pelati e puliti
- ½ tazza di brodo di pollo
- 2 cucchiai di riso Konjac cinese o vino di riso al cavolfiore o sherry secco
- 2 cucchiaini di salsa di soia
- 2½ – 3 cucchiai di olio per soffriggere
- 2 fette di zenzero tritate
- ¼ di cucchiaino di pasta di peperoncino
- ½ tazza di arachidi

a) Lavate i gamberi e asciugateli con carta assorbente. Unisci il brodo di pollo, il vino di riso Konjac e la salsa di soia e metti da parte.
b) Aggiungere 1 cucchiaio e mezzo di olio a un wok o una padella preriscaldati. Quando l'olio è caldo, aggiungi i gamberi. Saltare in padella molto brevemente, fino a quando non cambiano colore. Rimuovere e mettere da parte.
c) Aggiungi 1 cucchiaio di olio al wok. Quando l'olio è caldo, aggiungere la pasta di zenzero e peperoncino. Saltare in padella brevemente fino a quando diventa aromatico. Aggiungi le arachidi. Saltare in padella per circa 1 minuto finché non diventano dorati ma non sono bruciati.
d) Spingi le noccioline sul lato del wok. Aggiungere la salsa al centro del wok e portare a ebollizione. Aggiungi i gamberetti di nuovo nel wok. Amalgamate il tutto e servite ben caldo.

17. Pasta di gamberetti

- Gamberetti da ½ libbra (8 once), pelati e privati delle uova
- 1 cucchiaio più 1 cucchiaino di grasso vegetale
- ½ cucchiaino di zenzero grattugiato
- 2 cucchiaini di cipolla verde tritata
- 2 cucchiaini di castagna d'acqua finemente tritata
- ½ cucchiaino di vino di riso cinese o sherry secco
- ⅛ cucchiaino di sale
- Pepe qb
- 1 uovo medio
- 1 cucchiaio più 1 cucchiaino di amido di mais

a) Sciacquare i gamberi in acqua tiepida e asciugarli con carta assorbente. Frulla i gamberi e il grasso vegetale in un robot da cucina o in un frullatore. Aggiungere lo zenzero, la cipolla verde, la castagna d'acqua, il vino di riso Konjac, il sale e il pepe. Purea.
b) Sbatti leggermente l'uovo. Mescolare la miscela di gamberi e verdure. Aggiungere l'amido di mais, mescolando con le mani. La pasta di gamberetti è ora pronta.

18. Toast veloce di gamberetti Keto

- 7 once di gamberetti
- ½ cucchiaino di zenzero grattugiato
- 2 cucchiaini di cipolla verde finemente tritata
- 2 cucchiaini di castagna d'acqua tritata finemente
- ½ cucchiaino di vino di riso cinese o sherry secco
- ⅛ cucchiaino di sale
- Pepe qb
- 1 uovo
- 1 cucchiaino di amido di mais
- 8 fette di pane
- ¼ di tazza d'acqua
- 4-6 tazze di olio per friggere

iii) Rimuovere i gusci dai gamberetti e liberarli. Trita i gamberi in una pasta fine.

jjj) Mescolare lo zenzero, la cipolla verde, la castagna d'acqua, il vino di riso Konjac, il sale, il pepe, l'uovo e la maizena.

kkk) Aggiungere l'olio a un wok preriscaldato e riscaldare ad almeno 350 ° F. Mentre l'olio sta scaldando, rompere ogni fetta di pane in 4 quadrati uguali. Immergi brevemente nell'acqua, rimuovi e usa le dita per spremere l'acqua in eccesso.

lll) Distribuire un cucchiaino colmo della miscela di gamberetti su ogni quadrato di pane. Quando l'olio è caldo, fai scivolare alcuni quadrati nell'olio bollente. Friggere un lato finché non diventa marrone (circa 1 minuto), quindi girare e dorare l'altro lato. Toglieteli dal wok con una schiumarola e scolateli su carta assorbente. Continuare con il resto dei quadrati di pane.

19. Toast Fritto Croccante Di Gamberetti

- ¾ c up farina
- 1 cucchiaino di lievito in polvere
- ¼ di cucchiaino di sale
- 2 cucchiai di olio vegetale
- ¾ tazza d'acqua
- 6 fette di pane bianco, senza croste
- Pasta di gamberetti (pagina 216)
- 4-6 tazze di olio per friggere

a) Setacciate insieme la farina e il lievito. Mescolare il sale e l'olio vegetale. Incorporare lentamente l'acqua, aggiungendo più o meno quanto necessario per fare una pastella.
b) Aggiungere l'olio a un wok preriscaldato e riscaldare a 360 ° F. Mentre l'olio sta scaldando, tagliare ogni fetta di pane in 4 triangoli. Distribuire ½ cucchiaino di pasta di gamberetti su ciascun lato del triangolo.
c) Quando sei pronto per cucinare, usa le dita per rivestire il pane con la pastella. Aggiungere con attenzione il pane nel wok, poche fette alla volta. Cuocere da un lato per 2 minuti, poi capovolgere e cuocere l'altro lato per 2 minuti o fino a quando la pastella non sarà diventata dorata. Rimuovere e scolare su carta assorbente.

RICETTE DI POLLO CINESI

20. Anatra Arrosto Alla Cantonese

- 1 anatra, circa 5 libbre, fresca o congelata
- 1 cucchiaio di sale
- 1 scalogno
- 3 fette di zenzero fresco

Smalto:

- 1 cucchiaio di sciroppo di mais leggero 2 cucchiai di acqua
- 1 cucchiaio di salsa di soia
- Pochi rametti di coriandolo fresco, per guarnire

a) Scongela l'anatra, se congelata. Rimuovere il grasso in eccesso, quindi risciacquare e asciugare tamponando con carta assorbente. Strofinare l'intera superficie dell'anatra, dentro e fuori, con il sale. Coprire e conservare in frigorifero per diverse ore o durante la notte.
b) Mettete lo scalogno nella cavità e adagiate le fette di zenzero sopra l'anatra. Aggiungere almeno 2 pollici di acqua in una grande padella antincendio con un coperchio e mettere la padella sul fornello. Mettere una griglia larga nella teglia e portare l'acqua a ebollizione. Scegli una casseruola ovale abbastanza grande da contenere l'anatra e abbastanza piccola da stare nella teglia.
c) Mettere l'anatra nella casseruola e poi mettere la casseruola sulla griglia. Coprire e cuocere a vapore per 1 ora, controllando di tanto in tanto il livello dell'acqua e aggiungendo altra acqua bollente se necessario. Conserva il brodo d'anatra da utilizzare nelle zuppe o in padelle saltate in padella. A cottura ultimata, togliete l'anatra dalla casseruola e mettetela ad asciugare su una griglia.

d) Unire gli ingredienti per la glassa in un pentolino e portare a ebollizione. Con un pennello da cucina, dipingi la glassa calda sulla superficie dell'anatra. Lascia asciugare l'anatra per 1 ora.
e) Preriscalda il forno a 375F. Arrostire l'anatra, con il petto rivolto verso il basso, per 20 minuti. Gira e continua ad arrostire per altri 40 minuti.
f) Trasferire l'anatra su un tagliere e lasciar raffreddare leggermente. Usando una mannaia, disgiungi e taglia l'anatra attraverso l'osso in pezzi della misura di un morso. Disporre i pezzi su un piatto da portata, guarnire con coriandolo e servire.

21. Pollo agli anacardi

- Petti di pollo, disossati e spellati 1/2 libbra. Baccelli di piselli cinesi
- 1/2 libbra di funghi 4 cipolle verdi
- 2 tazze di germogli di bambù, scolati 1 tazza di brodo di pollo
- 1/4 tazza di salsa di soia
- 2 cucchiai di amido di mais
- 1/2 cucchiaino di sale
- 4 cucchiai di olio per insalata
- 1 confezione di anacardi (circa 4 once)

a) Affettare il petto orizzontalmente a fettine molto sottili e tagliarlo a quadrati pollici. Mettere sul vassoio. Preparare le verdure, rimuovere le estremità e le corde dai baccelli dei piselli, affettare i funghi, la parte verde delle cipolle e i germogli di bambù. Aggiungi al vassoio.
b) Mescola salsa di soia, amido di mais e sale. Scaldare 1 cucchiaio di olio in padella a fuoco moderato, aggiungere tutte le noci e cuocere 1 minuto agitando la padella,
c) tostare leggermente le noci. Rimuovere e prenotare. Versare l'olio rimanente in padella, friggere
d) pollo velocemente, girandolo spesso fino a quando non appare opaco. Abbassa il fuoco al minimo. Aggiungi i baccelli di piselli, i funghi e il brodo. Coprite e cuocete lentamente per 2 minuti. Togliere il coperchio, aggiungere la miscela di salsa di soia, germogli di bambù e cuocere fino a quando non si sarà addensato, mescolando continuamente. Cuocere a fuoco lento scoperto ancora

un po 'e aggiungere cipolle verdi e noci e servire immediatamente.

22. Pentola di fuoco cinese

- 1 lb Controfiletto di manzo disossato o tondo di manzo 1 lb Petti di pollo disossati
- 1 libbra di filetti di pesce
- 1 libbra di gamberi medi 1 libbra di cavolo cinese
- 1/2 libbra di funghi di bosco freschi o funghi coltivati Succo di limone
- 1 confezione di funghi Enoki (confezioni da 3 1/2-oz) baccelli di piselli cinesi da 3/4 libbre
- 2 miliardi di cipolle verdi 2 miliardi di spinaci
- 8 once di castagne d'acqua in scatola scolate e affettate
- 8 once di germogli di bambù in scatola scolati e affettati 4 cn Brodo di pollo (13 lattine da 3/4 once)
- Salsa agrodolce Salsa di soia
- Senape cinese calda preparata
- 1/4 libbra di spaghetti all'uovo fini; coriandolo cotto o erba cipollina; tritato (facoltativo)

a) Non è necessario utilizzare tutti gli ingredienti qui elencati fintanto che offri un'interessante miscela di carne, pesce e verdure. Se lo si desidera, è possibile sostituire altre carni e verdure.

b) Metti la carne di manzo, il pollo e il pesce nel congelatore e lasciali raffreddare finché non sono sodi al tatto ma non congelati. Affettare carne di manzo e pollo a strisce spesse 1/4 di pollice e lunghe circa 2 pollici. Tagliare il pesce a cubetti da 3/4 pollici. Sgusciare e sgusciare i gamberi. Taglia il cavolo a pezzi della grandezza di un boccone. Funghi puliti. Se usi i funghi di bosco, rimuovi e getta i gambi. Affettare i funghi e spolverare con il succo di limone. Taglia e getta la radice dei funghi enoki e separa i grappoli il più possibile. Lavare, tagliare le estremità e legare i baccelli dei piselli. Pulite le cipolle verdi e tagliatele

c) a metà nel senso della lunghezza, compresa la parte verde. Tagliare in lunghezze di 2 pollici. Pulire gli spinaci e scartare i gambi spessi. Per servire, disporre carne di manzo, pollo, pesce, gamberetti, cavoli, funghi di bosco, funghi enoki, taccole, cipolle verdi, foglie di spinaci, castagne d'acqua e germogli di bambù in file individuali su grandi vassoi o piatti da portata. Portate a bollore il brodo. Posizionare l'unità di riscaldamento sotto

d) Pentola calda cinese e versare il brodo bollente nella ciotola della pentola calda. Usando mestolo cinese e bacchette o forchette da fonduta, ogni persona mette gli ingredienti desiderati nel brodo caldo per cuocere in camicia.

STAUB

23. Chicken Chow Mein

- 12 once di tagliatelle
- 8 once di petti di pollo senza pelle e disossati 3 cucchiai di salsa di soia
- 1 cucchiaio di vino di riso o sherry secco 1 cucchiaio di olio di sesamo scuro
- 4 cucchiai di olio vegetale
- 2 spicchi d'aglio, tritati finemente
- 2 once di taccole, estremità rimosse 4 once di germogli di soia
- 2 once di prosciutto, 4 scalogni tritati finemente, tritati finemente
- Sale e pepe nero appena macinato

g) Cuocere le tagliatelle in una casseruola di acqua bollente finché sono teneri. Scolare, sciacquare sotto l'acqua fredda e scolare bene.
h) Taglia il pollo a pezzi sottili da 2 pollici. Mettere in una ciotola. Aggiungere 2 cucchiaini di salsa di soia, il vino di riso o lo sherry e l'olio di sesamo.
i) Riscaldare metà dell'olio vegetale in un wok o in una padella grande a fuoco alto. Quando l'olio inizia a fumare, aggiungi il composto di pollo. Saltare in padella per circa 2 minuti, quindi trasferire il pollo su un piatto e tenerlo caldo.
j) Pulisci il wok e riscalda l'olio rimanente. Incorporare l'aglio, le taccole, i germogli di soia e il prosciutto, soffriggere per un altro minuto circa e aggiungere le tagliatelle.

k) Continua a soffriggere fino a quando le tagliatelle non si saranno riscaldate. Aggiungere la restante salsa di soia a piacere e condire con sale e pepe. Rimetti il pollo e il sugo nella miscela di noodle, aggiungi lo scalogno e mescola per l'ultima volta. Servire subito.

24. Pollo Keto Crisp Skin

- 1 pollo (2 1/2 libbre)
- 1 cucchiaio di aceto
- 1 cucchiaio di salsa di soia
- 2 cucchiai di miele
- 1 cucchiaio di sherry
- 1 cucchiaino di melassa (melassa)
- 2 cucchiai di farina 00
- 1 cucchiaino di sale
- olio di arachidi per friggere

a) Metti il pollo in una grande casseruola e aggiungi dell'acqua bollente fino a metà dei lati del pollo. Coprire bene e cuocere a fuoco lento finché sono teneri, da circa 45 minuti a 1 ora. Scolare, sciacquare sotto l'acqua fredda e asciugare con carta assorbente.
b) Mescolare l'aceto, la salsa di soia, il miele, lo sherry e la melassa. Spennellalo su tutto il pollo e poi appendi il pollo in un luogo arioso ad asciugare, per circa 30 minuti. Spennellare con la soia rimanente
c) miscela di salsa di nuovo e appendere per altri 20-30 minuti. Mescolare la farina e il sale e strofinare bene sulla pelle del pollo. Friggere in olio di arachidi ben caldo fino a quando non diventa dorato e croccante. Scolare bene su carta assorbente.
d) Tagliate il pollo in 8 pezzi e servitelo caldo con i seguenti tuffi:

Salsa alla cannella:

- 1 cucchiaio di cannella in polvere
- 1/2 cucchiaino di zenzero macinato

- 1/4 cucchiaino di pepe nero appena macinato
- 1/4 cucchiaino di sale

a) Mescolare insieme, mettere in una piccola casseruola e scaldare fino a quando molto caldo, mescolando continuamente.

25. Ali di pollo imperatrice

- 1 1/2 libbra di ali di pollo 3 cucchiai di salsa di soia
- 1 cucchiaio di sherry secco
- cucchiaio di radice di zenzero fresca tritata 1 spicchio d'aglio, tritato
- cucchiai di olio vegetale 1/3 di tazza di amido di mais
- 2/3 di tazza di acqua
- 2 cipolle verdi e cime, tagliate a fettine sottili 1 cucchiaino di radice di zenzero fresca a scaglie

i) Disgiungere le ali di pollo; scartare i suggerimenti (o risparmiare per le scorte). Unire la salsa di soia, lo sherry, lo zenzero tritato e l'aglio in una grande ciotola; mescolare il pollo.
j) Coprire e conservare in frigorifero per 1 ora, mescolando di tanto in tanto. Rimuovere il pollo; marinata di riserva.
k) Scaldare l'olio in una padella grande a fuoco medio. Ricoprire leggermente i pezzi di pollo con amido di mais; aggiungere alla padella e far rosolare lentamente su tutti i lati.
l) Rimuovere il pollo; scolare il grasso. Mescolare l'acqua e la marinata riservata nella stessa padella.
m) Aggiungi il pollo; cospargere uniformemente le cipolle verdi e lo zenzero a scaglie sul pollo. Copri e lascia sobbollire per 5 minuti o finché il pollo non è tenero.

26. Pollo del Generale Tsao (Keto)

Salsa:

- 1/2 tazza di amido di mais 1/4 tazza di acqua
- 1 + 1/2 cucchiaino di aglio tritato
- 1 + 1/2 cucchiaino di radice di zenzero tritata
- 1/2 tazza di salsa di soia
- 1/4 tazza di aceto bianco
- 1/4 di tazza di vino da cucina
- 1 tazza e 1/2 di brodo di pollo caldo
- 1 cucchiaino di glutammato monosodico (facoltativo)

Carne:

- 2 libbre di carne di pollo scura disossata, tagliata a pezzi grandi 1/4 tazza di salsa di soia
- 1 cucchiaino di pepe bianco 1 uovo
- 1 tazza di amido di mais
- Olio vegetale per friggere 2 tazze di cipolle verdi affettate 16 piccoli peperoncini essiccati

a) Mescolare 1/2 tazza di amido di mais con acqua. Aggiungere l'aglio, lo zenzero, 1/2 tazza di salsa di soia, l'aceto, il vino, il brodo di pollo e il glutammato monosodico (se lo si desidera). Metti in frigo fino al momento del bisogno.

b) In una ciotola separata, mescolare il pollo, 1/4 di tazza di salsa di soia e pepe bianco.

c) Incorporare l'uovo. Aggiungere 1 tazza di amido di mais e mescolare fino a quando i pezzi di pollo non saranno ricoperti in modo uniforme. Aggiungi una tazza di olio vegetale per separare i pezzi di pollo. Dividere il pollo in piccole quantità e friggerlo a 350 gradi fino a renderlo croccante. Scolare su carta assorbente.

d) Mettere una piccola quantità di olio nel wok e riscaldare fino a quando il wok è caldo. Aggiungere cipolle e peperoni e soffriggere brevemente. Mescolare la salsa e aggiungerla al wok.
e) Mettere il pollo nella salsa e cuocere finché la salsa non si addensa.

27. Ali Di Pollo Allo Zenzero

- 8 ali di pollo
- cucchiai di salsa di soia 1 cucchiaio di miele
- 2 cucchiai di succo di limone
- 2 cucchiai di zenzero fresco grattugiato 2 cucchiai di ketchup
- 1 cucchiaio di olio

a) Taglia le ali all'articolazione.
b) Mescolare gli ingredienti rimanenti e marinare il pollo in questa miscela, coperto in frigorifero, per 6-8 ore o durante la notte.
c) Grigliare per circa 15 minuti o fino a cottura completa, spazzolando spesso con la marinata e girando due volte

28. Keto Lo Mein

- 2 tazze di spaghetti cinesi cotti (o spaghetti molto sottili) sciacquati e scolati
- 12 oz. carne cotta a cubetti (manzo, pollo, maiale ... qualsiasi)
- 1 confezione di fagioli di soia neri surgelati alla francese, scongelati
- 2 tazze di germogli di soia freschi 3 scalogni, tritati
- 1 fetta di zenzero, sminuzzata
- 1 spicchio d'aglio tritato 1 tè. MSG (Accent) 1 tè.
- 1/4 tazza di salsa di soia
- 3/4 di tazza di olio vegetale
- 1/4 di tè. olio di sesamo
- 2 cucchiai. Sherry

a) Mescolare insieme MSG e salsa di soia. Mettere da parte.
b) Riscalda il wok o la padella ben caldi e asciutti. Aggiungi solo 3 cucchiai di olio vegetale e tutto l'olio di sesamo. Mettere a rosolare lo zenzero e l'aglio, poi tutte le altre verdure. Mescolate e cuocete per un minuto a fuoco vivace. Aggiungi lo sherry. Coprite e cuocete ancora un minuto. Spegni il fuoco. Rimuovere le verdure e scolare; scartare questi succhi. Metti da parte le verdure scolate
c) Riscaldare il wok o asciugare di nuovo in padella. Mettete il resto dell'olio. Accendi il fuoco a media. Aggiungere le tagliatelle cotte e mescolare continuamente per scaldare e ricoprire le tagliatelle con olio per un paio di minuti. Aggiungi la tua scelta di carne e verdure riservate; mescolare accuratamente. Aggiungere la miscela di salsa

di soia riservata e mescolare fino a quando i noodles diventano di un colore uniforme. Servire.

29. Rumaki

- 1 libbra di fegatini di pollo
- 8 oz. Castagne d'acqua; Sgocciolate 12 strisce di pancetta
- 1/4 tazza di salsa di soia
- 1/2 cucchiaino di zenzero; In polvere
- 1/2 cucchiaino di polvere di 5 spezie cinesi o 1/2 cucchiaino di curry in polvere

a) Tagliare i fegatini di pollo a metà o in grossi pezzi. Taglia a metà le noci più grandi. Tagliare le strisce di pancetta a metà, trasversalmente.
b) Avvolgere un pezzo di pancetta attorno a pezzi di fegato e castagne, fissando le estremità con uno stuzzicadenti. Mettili in un piatto da torta poco profondo mentre li prepari.
c) Unire la salsa di soia alle spezie e versarvi sopra il rumaki; conservare in frigorifero circa mezz'ora prima di servire. Preriscaldare la griglia o la griglia e cuocere il rumaki fino a quando la pancetta non è croccante, circa 20 minuti, facendola rosolare su tutti i lati.
d) Servire caldo.

30. Pollo Sichuan

- 1 libbra di petto di pollo disossato, tagliato a cubetti
- 4-6 carote, tagliate a pezzi da 1/4 "
- 1 lattina di germogli di bambù
- 12-15 peperoncini piccanti secchi olio da cucina

Salsa:

- 6 cucchiai. salsa di soia
- 2-3 cucchiai. amido di mais
- 2-3 cucchiai. zenzero secco in polvere 3 cucchiai. Sherry

a) Mescola gli ingredienti per la salsa in una ciotola.
b) Metti i peperoni e 1 cucchiaio. di olio da cucina in un wok. Rosolare i peperoni a fuoco medio-alto e trasferirli su un piatto. Aggiungere il pollo a cubetti e cuocere fino a quando il colore rosa scompare (2-5 min).
c) Togli il pollo dal wok. Aggiungi 1 cucchiaio. di olio nel wok e aggiungere le carote. Saltare in padella fino a quando le carote iniziano ad ammorbidirsi. Aggiungere i germogli di bambù e saltare in padella per 1-2 minuti.
d) Aggiungi i peperoni, il pollo e la salsa al wok. Mescolare a fuoco medio fino a quando la salsa si addensa.

Calphalon

31. Pollo Keto Kung Pao

ingredienti

Per la salsa:

- 2 cucchiai di aminos al cocco o salsa di soia a basso contenuto di sodio
- 1 cucchiaino di salsa di pesce
- 2 cucchiaini di olio di sesamo
- 1 cucchiaino di aceto di mele
- 1/4 - 1/2 cucchiaino di peperoncino in fiocchi di peperoncino a piacere
- 1/2 cucchiaino di zenzero fresco tritato
- 2 spicchi d'aglio tritati
- 2-3 cucchiai di acqua o brodo di pollo
- 1-2 cucchiaini di frutta del monaco o eritritolo, regolare al livello di dolcezza desiderato

Per il soffritto:

- Cosce di pollo da 3/4 libbre tagliate a pezzi da 1 pollice
- Sale rosa dell'Himalaya e pepe nero q.b.
- 3-4 cucchiai di olio d'oliva o olio di avocado
- 1 peperone rosso tagliato a pezzetti
- 1 zucchina medio-grande tagliata a metà
- 2-3 peperoncini rossi secchi
- 2/3 di tazza di anacardi o arachidi tostate
- 1/4 cucchiaino di gomma xanthum opzionale per addensare la salsa
- Semi di sesamo e cipolle verdi tritate per guarnire (facoltativo)

a) In una ciotola media, unisci tutti gli ingredienti per la salsa. Mettere da parte. Condire il pollo con sale, pepe e 1 cucchiaio di salsa / marinata.
b) Aggiungi l'olio in un wok o in una padella antiaderente grande a fuoco medio-alto. Aggiungere il pollo e cuocere per 5-6 minuti o fino a quando il pollo inizia a dorarsi e quasi completamente cotto.
c) Aggiungere le zucchine, i peperoni e i peperoncini essiccati (se utilizzati) e cuocere per 2-3 minuti, o fino a quando le verdure sono croccanti e tenere e il pollo è cotto.
d) Versare la salsa rimanente e aggiungere gli anacardi. Mescola tutto insieme e alza il fuoco.
e) Lasciar ridurre e addensare la salsa. Condire con sale, pepe o altri fiocchi di peperoncino rosso secondo necessità. Puoi aggiungere un po 'di 1/4 di cucchiaino di gomma xantham per addensare ulteriormente la salsa, se lo desideri.

32. Pollo avvolto in carta Keto

- 2 grandi petti di pollo disossati e senza pelle, 6–8 once ciascuno

- 4 grandi funghi secchi cinesi
- 1 ½ cipolla verde
- 2 cucchiai di salsa di ostriche
- 2 cucchiai di salsa di soia
- 1 fetta di zenzero, sminuzzata
- 1 cucchiaino di olio di sesamo
- 1 cucchiaio di vino di riso cinese o sherry secco
- Sale e pepe a piacere
- 24 quadrati da 6 pollici di foglio di alluminio

a) Lavate il pollo e asciugatelo. Tagliare il pollo a fette sottili lunghe circa 2 ½ pollici. Vuoi avere 48 strisce o 2 strisce per ogni confezione. (Con un petto più grande potresti avere più pollo del necessario, quindi puoi fare più pacchetti.)
b) Mettere a bagno i funghi secchi in acqua calda per 20 minuti o finché non si saranno ammorbiditi. Strizza delicatamente per eliminare l'acqua in eccesso e taglia in 24 fette sottili o 6 fette per fungo. Affetta sottilmente le cipolle verdi in diagonale, in modo da avere 48 pezzi o 2 fette per confezione.
c) In una piccola ciotola, unire la salsa di ostriche, la salsa di soia, lo zenzero sminuzzato, l'olio di sesamo, il vino di riso Konjac cinese, il sale e il pepe e le cipolle verdi. Aggiungete al pollo e lasciate marinare per 45 minuti. Aggiungete i funghi e lasciate marinare per altri 15 minuti.
d) Preriscalda il forno a 350 ° F.
e) Per avvolgere il pollo, stendi un quadrato di carta stagnola in modo che l'angolo inferiore sia rivolto verso di te. Metti 2 fette di pollo, 1 fetta di funghi e 2 fette di cipolla verde al centro. Porta l'angolo inferiore sopra il pollo. Rotola questo angolo una volta. Piega l'angolo destro

verso il centro e poi l'angolo sinistro, in modo che uno si sovrapponga all'altro. Infila il triangolo in alto nella patta.

f) Posizionare i pacchi avvolti su una teglia e infornare a 350 ° F per 15 minuti. Lasciar raffreddare prima di servire.

33. Moo Goo Gai Pan

- 2 metà di petto di pollo, spellato, disossato e affettato sale e pepe
- 3 spicchi d'aglio, tritati 2 tazze d'acqua
- 1 cucchiaio di amido di mais 5 cucchiai di olio di mais
- 8 oz. funghi freschi, affettati
- lb. bok choy o cavolo cinese bianco, tritato
- 4 cucchiai di salsa di soia
- scalogno, tritato

c) In una ciotola, condisci il pollo con la miscela di sale e pepe, aglio e amido di mais. Mettere da parte.
d) Scaldare 3 cucchiai di olio di mais in un wok e incorporare funghi, bok choy / cavolo per 2 minuti. Coprite e cuocete per 5 minuti. Rimuovi dal wok.
e) Scaldare l'olio di mais rimanente nel wok. Saltare in padella il pollo per 2 minuti a fuoco alto. Aggiungere la salsa di soia e mescolare bene. Copri e cuoci per circa 6 minuti o finché il pollo non è completamente cotto.
f) Mescolare le verdure cotte e lo scalogno. Mescolare insieme per circa 1 minuto. Servire caldo con riso Konjac o riso al cavolfiore.

STAUB

34. Pollo Keto Mu Shu

- 20 gemme di giglio di tigre di petto di pollo disossato e sbucciato da 3/4 libbre
- cucchiai di orecchie degli alberi

  Marinata:
- 1 cucchiaino di amido di mais
- 1 cucchiaio di acqua
- 1 cucchiaio di salsa di soia
- 6 cucchiai di olio di mais
- 3 uova extra-grandi, ben sbattute 3 scalogni, sminuzzati
- Tazza di cavolo verde sminuzzato 1 cucchiaino di sale
- 1 olio di sesamo orientale 20 frittelle al mandarino, riscaldate

35. Moo Goo Gai Pan

- 2 grandi petti di pollo disossati e senza pelle
- 4 cucchiai di salsa di ostriche, divisi
- 2 cucchiaini di amido di mais, divisi
- ½ tazza di brodo di pollo o brodo
- ⅛ cucchiaino di pepe bianco
- ½ tazza di funghi freschi
- 4 cucchiai di olio per soffriggere
- 1 spicchio d'aglio, tritato
- ½ 8 once può germogli di bambù, risciacquati

a) Lavate il pollo e tagliatelo a fettine sottili. Mescolare 2 cucchiai di salsa di ostriche e 1 cucchiaino di amido di mais. Marinare il pollo per 30 minuti.
b) Mescolare il brodo di pollo, il pepe bianco, 2 cucchiai di salsa di ostriche e 1 cucchiaino di amido di mais. Mettere da parte. Pulisci i funghi con un panno umido e tagliali a fettine sottili.
c) Aggiungi 2 cucchiai di olio a un wok o una padella preriscaldati. Quando l'olio è caldo, aggiungere l'aglio e saltare in padella brevemente fino a quando diventa aromatico. Aggiungere il pollo e saltare in padella finché non cambia colore e non è quasi cotto. Togli il pollo dal wok e mettilo da parte.
d) Pulisci il wok e aggiungi altri 2 cucchiai di olio. Quando l'olio è caldo, aggiungere i funghi e saltare in padella per circa 1 minuto. Aggiungi i germogli di bambù.
e) Mescola velocemente la salsa. Fai una buca al centro del wok spingendo le verdure ai lati. Aggiungere la salsa al

centro, mescolando energicamente per addensare. Aggiungere il pollo e mescolare.

36. Princess Chicken

- 1 libbra di carne di pollo leggera
- 6 cucchiai di salsa di soia, divisi
- 4 cucchiaini di vino di riso cinese o sherry secco, divisi
- 1 cucchiaio di amido di mais
- ¼ di cucchiaino di olio di sesamo
- 6 peperoncini rossi secchi
- 3 cucchiai di olio per soffriggere
- 1 spicchio d'aglio grande, tritato
- 1 cucchiaino di zenzero tritato
- 2 cipolle verdi, tagliate a fettine sottili

Taglia il pollo a cubetti. Mescolare 2 cucchiai di salsa di soia, 3 cucchiaini di vino di riso Konjac e l'amido di mais, aggiungendo per ultimo l'amido di mais. Marinare il pollo per 30 minuti.

Unire 4 cucchiai di salsa di soia, 1 cucchiaino di vino di riso Konjac e l'olio di sesamo e mettere da parte. Tagliare a metà i peperoncini rossi e privarli dei semi. Tritate e mettete da parte.

Aggiungi 2 cucchiai di olio a un wok o una padella preriscaldati. Quando l'olio è caldo, aggiungere i cubetti di pollo e saltare in padella fino a quando non sono quasi cotti. Togliere dal wok e scolare su carta assorbente.

Aggiungi 1 cucchiaio di olio al wok. Quando l'olio è caldo, aggiungi l'aglio, lo zenzero e le cipolle verdi. Saltare in padella brevemente fino a quando diventa aromatico. Aggiungere i peperoncini e cuocere per 1 minuto.

Aggiungere la salsa al centro del wok e portare a ebollizione. Aggiungere il pollo e mescolare.

37. Pollo Affumicato Al Tè

- Friggitrice di pollo da 3 libbre
- 2 cucchiai di salsa di soia scura
- 1 cucchiaino e mezzo di vino di riso cinese o sherry secco
- ½ cipolla verde, tritata
- 3 cucchiai di foglie di tè nero
- ¼ di cucchiaino di miscela di sale e pepe di Szechwan (pagina 20)
- ½ tazza di riso Konjac o riso al cavolfiore crudo

Lavate il pollo e asciugatelo. Mescolare insieme la salsa di soia scura, il vino di riso Konjac e il cipollotto. Strofina il pollo e lascialo marinare per 1 ora. Mescolare insieme le foglie di tè, la miscela di sale e pepe di Szechwan e riso Konjac o riso al cavolfiore. Mettere da parte.

Preparare una vaporiera di bambù e cuocere a vapore il pollo per circa 45 minuti, finché non sarà cotto.

Copri il fondo e l'interno del wok con diversi strati di carta stagnola. Metti le spezie fumanti sul fondo del wok. Posizionare una griglia per dolci all'interno del wok e posizionare il pollo sulla griglia. Accendi il fuoco. Quando il fumo appare in alcuni punti (circa 10-15 minuti), coprire il pollo con il coperchio e regolare la fiamma in modo che il flusso di fumo rimanga costante. Continua a fumare fino a quando il pollo diventa marrone scuro (circa 15 minuti).

38. Ali Di Pollo Con Salsa Di Ostriche

- 16 ali di pollo
- ⅓ tazza di salsa di soia
- 1 cucchiaio di salsa di soia scura
- 3 cucchiai di salsa di ostriche
- 1 cucchiaio di vino di riso cinese o sherry secco
- 2 cucchiai d'acqua
- 2 cucchiaini di olio di sesamo
- 3 spicchi d'aglio, tritati

Risciacquare le ali di pollo e asciugarle tamponando. Unisci la salsa di soia, la salsa di soia scura, la salsa di ostriche, il vino di riso Konjac, l'acqua e l'olio di sesamo. Metti la salsa in un sacchetto di plastica. Aggiungere il pollo, scuotendo leggermente la busta per assicurarsi che la salsa ricopra tutto il pollo. Sigilla la busta e mettila in frigorifero. Marinare il pollo per 2-3 ore, girando la busta di tanto in tanto.

Preriscalda il forno a 350 ° F.

Rimuovere le ali di pollo dal sacchetto, riservando la salsa. Posizionare le ali su una teglia da forno spruzzata con spray da cucina. Versare sopra ½ salsa. Aggiungere l'aglio tritato. Infornate le ali per 20 minuti. Aggiungere la restante metà della salsa e cuocere per altri 15 minuti, o fino a quando le ali sono cotte.

39. Ali Di Pollo Ripiene

- 10 ali di pollo
- 2 funghi secchi cinesi
- ½ 8 once può germogli di bambù, scolati
- ½ tazza di carne di maiale macinata
- ½ cucchiaio di salsa di soia
- ½ cucchiaio di vino di riso cinese o sherry secco
- ¼ di cucchiaino di olio di sesamo
- Sale e pepe a piacere

a) Lavare le ali di pollo e asciugarle tamponando. Taglia la sezione centrale e getta la batteria. Prendi un coltello da cucina e, iniziando dall'estremità della parte centrale che era attaccata alla drummette, raschia accuratamente la carne dalle 2 ossa nella sezione centrale, facendo attenzione a non tagliare la pelle. Quando la carne è stata raschiata via, tirare e rimuovere le 2 ossa nella parte centrale. Questo ti darà un sacco di cose.
b) Mettere a bagno i funghi secchi in acqua calda per almeno 20 minuti per ammorbidirli. Strizza delicatamente i funghi per eliminare l'acqua in eccesso. Tagliate a fettine sottili. Julienne i germogli di bambù.
c) Metti il maiale in una ciotola media. Usa le mani per mescolare la salsa di soia, il vino di riso Konjac, l'olio di sesamo e sale e pepe con il maiale.
d) Prendi una pallina di maiale e mettila all'interno della pelle del pollo. Aggiungere 2 fette di bambù e 2 fette di funghi a fette. Continuare con il resto delle ali di pollo.
e) Cuocere le ali di pollo su un piatto resistente al calore su una vaporiera di bambù nel wok per circa 20 minuti o fino a quando il maiale è cotto.

40. Ali di Keto ubriache

- 8-10 ali di pollo
- ¼ di cucchiaino di sale
- Pepe qb
- 1 cipolla verde, tritata
- 2 fette di zenzero
- 6 tazze di vino bianco secco per coprire

In una pentola capiente, porta a ebollizione 8 tazze d'acqua. Mentre aspetti che l'acqua bolle, taglia le ali di pollo al centro in modo da avere una drummette e la parte centrale. Taglia e getta le punte delle ali.

Cuocere le ali di pollo nell'acqua bollente per 5 minuti.

Aggiungere il sale, il pepe, il cipollotto e lo zenzero. Copri e lascia sobbollire il pollo per 45 minuti. Freddo.

Mettere le ali di pollo in un contenitore sigillato e coprire con il vino. Mettete in frigorifero per almeno 12 ore prima

RICETTE DI MAIALE CINESE

41. Potstickers con vino di riso Konjac (Keto)

- 1 tazza e mezzo di carne di maiale macinata
- 3 cucchiaini di vino di riso cinese o sherry secco
- 3 cucchiaini di salsa di soia
- 1 cucchiaino e mezzo di olio di sesamo
- 1 ½ cucchiaio di cipolla tritata
- 1 confezione di involucri rotondi di wonton (gyoza)
- ½ tazza di acqua per bollire i potstickers
- Olio per friggere q.b.

Unisci la carne di maiale macinata, il vino di riso Konjac, la salsa di soia, l'olio di sesamo e la cipolla tritata.

Per preparare i potstickers: Mettere 1 cucchiaino di ripieno al centro dell'involucro. Bagnare i bordi dell'involucro, ripiegare il ripieno e sigillare, piegando i bordi. Continua con il resto dei potstickers. Copri i potstickers completati con un panno umido per evitare che si secchino.

Aggiungi 2 cucchiai di olio a un wok o una padella preriscaldati (1 cucchiaio se usi una padella antiaderente). Quando l'olio è caldo, aggiungi un po 'di potstickers, con il lato liscio rivolto verso il basso. Non saltare in padella, ma lascia cuocere per circa 1 minuto.

Aggiungi ½ tazza di acqua. Non capovolgere gli sticker. Cuocere, coperto, fino a quando la maggior parte del liquido sarà assorbita. Scoprire e cuocere fino a quando il liquido non sarà evaporato.

Allentare i potstickers con una spatola e servire con il lato bruciato rivolto verso l'alto. Servire con salsa potsticker

42. Maiale e germogli di bambù

- 1 libbra di maiale magro 1/4 tazza di salsa di soia
- 1 cucchiaio di sherry
- 1 cucchiaino di zenzero macinato
- 1 litro d'acqua
- 1 oncia di germogli di bambù

a) Taglia la carne di maiale a cubetti. Mescolare la salsa di soia, lo sherry e lo zenzero, aggiungere al maiale, mescolare bene e lasciare agire per 10 minuti. Mettere la carne di maiale e gli aromi in una padella larga, aggiungere l'acqua e portare a ebollizione, coprire e cuocere a fuoco lento per 1 ora.
b) Scolare i germogli di bambù e sminuzzarli finemente, aggiungerli nella padella e cuocere a fuoco lento per 10 minuti. Se lo si desidera, il liquido può essere addensato con 1 cucchiaio di amido di mais. mescolato con un po 'd'acqua fredda.

43. Testa di leone di Keto

- 1 fetta di zenzero
- 1 scalogno, tagliato in quarti
- 1/2 tazza d'acqua
- 1 libbra di carne di maiale macinata
- 1 cucchiaio di sherry
- 2 cucchiai di salsa di soia leggera
- 1 cucchiaino di sale
- 1 cucchiaio di amido di mais
- 2 cucchiai di amido di mais, sciolto in 4 cucchiai d'acqua
- 6 cucchiai di olio
- 1 libbra di bok choy (verde cinese), tagliato in pezzi da 3 pollici
- 1/2 tazza di brodo di pollo

a) Pestare lo zenzero e lo scalogno con il dorso del coltello o della mannaia. Mettere in una ciotola con l'acqua. Metti da parte 10 minuti.
b) Filtrare lo scalogno e lo zenzero dall'acqua.
c) Metti il maiale nella ciotola. Aggiungere lo scalogno e l'acqua allo zenzero, lo sherry, 1 cucchiaio di salsa di soia, 1/2 cucchiaino di sale e la maizena. Mescolare bene con la mano in una direzione.
d) Formare il composto di carne in 4 grandi palline.
e) Usando le mani, spalmare palline leggere con amido di mais sciolto.
f) Scalda 4 cucchiai di olio nel wok. Friggere le palline una alla volta finché non sono marroni. Bagnare con olio caldo. Rimuovere con attenzione.

g) Riscaldare 2 cucchiai di olio fino a quando non fuma caldo nel wok. Saltare in padella il bok choy 2 minuti. Aggiungi 1/2 cucchiaino di sale.
h) Metti il bok choy in una pentola pesante. Metti le polpette sopra. Aggiungere 2 cucchiai di salsa di soia e il brodo. Copertina. Fai bollire 1 ora.
i) Portare ad ebollizione 2 minuti. Se il sugo è troppo acquoso, addensare con un po 'di amido di mais sciolto.

44. Rotolo di uova di maiale non ripieno

Ingredienti:

- olio di sesamo
- aglio
- cipolla
- cipolle verdi
- carne di maiale macinata
- zenzero macinato
- sale marino
- Pepe nero
- Sriracha o salsa al peperoncino all'aglio
- coleslaw
- aminos al cocco o salsa di soia
- aceto, semi di sesamo tostati

Questa enorme ciotola di bellezza sarebbe il miglior centrotavola per un tavolo da buffet cinese: il rotolo di uova di maiale in una ciotola potrebbe anche diventare un rotolo di uova di manzo o tacchino o pollo! Mi piacciono molto le ricette in cui puoi facilmente mettere il tuo timbro su di loro.

45. Gow Gees tradizionale

- ¼ di libbra (4 once) di gamberetti
- 3 funghi secchi medi
- 1 tazza di carne di maiale macinata
- 1 foglia di cavolo napa, sminuzzata
- 1 ½ cipolla verde, tagliata a fettine sottili
- ¼ di cucchiaino di zenzero tritato
- 2 cucchiaini di vino di riso cinese o sherry secco
- 2 cucchiaini di salsa di soia
- 1 cucchiaino di olio di sesamo
- 1 confezione di involucri rotondi di wonton (gyoza)
- 4-6 tazze di olio per friggere

a) Lavare, eliminare e tritare finemente i gamberetti. Mettere a bagno i funghi secchi in acqua calda per almeno 20 minuti per ammorbidirli. Scolare, eliminare i gambi e affettarli finemente.
b) Unisci la carne di maiale macinata, i gamberi, il cavolo cappuccio, le cipolle verdi, i funghi secchi, lo zenzero, il vino di riso Konjac, la salsa di soia e l'olio di sesamo.
c) Aggiungere l'olio a un wok preriscaldato e riscaldare a 375 ° F. Avvolgi i gow gees aspettando che l'olio si scaldi. Mettere 1 cucchiaino di ripieno al centro dell'involucro. Bagnare i bordi dell'involucro, ripiegare il ripieno e sigillare, aggraffando i bordi. Continua con il resto dei wonton. Copri i wonton completati con un panno umido per evitare che si secchino.
d) Fai scorrere con attenzione i gow gees nel wok, pochi alla volta. Friggere fino a quando non diventano dorati (circa

2 minuti). Rimuovere con una schiumarola e scolare su carta assorbente.

46. Gnocchi di Keto Siu Mai

- ¼ di libbra (4 once) di gamberetti freschi
- 3 funghi secchi medi
- 1 tazza di carne di maiale macinata
- 1 ½ cipolla verde, tagliata a fettine sottili
- ½ tazza di germogli di bambù in scatola, sminuzzati
- 2 cucchiaini di salsa di ostriche
- 2 cucchiaini di salsa di soia
- 1 cucchiaino di olio di sesamo
- 1 confezione di Siu Mai o fagottini
- Olio per rivestimento piastra resistente al calore

a) Lavare e privare i gamberi e tritarli finemente. Mettere a bagno i funghi secchi in acqua calda per almeno 20 minuti per ammorbidirli. Scolare, eliminare i gambi e affettarli finemente.
b) Unisci la carne di maiale macinata, i gamberi, le cipolle verdi, i funghi secchi, i germogli di bambù, la salsa di ostriche, la salsa di soia e l'olio di sesamo.
c) Per avvolgere il Siu Mai: posizionare 2 cucchiaini di ripieno al centro dell'involucro. Non piegare l'involucro sul ripieno. Raccogli i bordi dell'involucro e piega delicatamente i lati in modo che formi una forma a cestino, con la parte superiore aperta.
d) Rivestire leggermente una piastra resistente al calore con olio. Disporre gli gnocchi sul piatto. Posizionare il piatto su una vaporiera di bambù in un wok predisposto per la cottura a vapore. Cuoci gli gnocchi per 5-10 minuti o finché non sono cotti.

47. Braciola di maiale Keto Suey

- ½ libbra di filetto di maiale
- 2 cucchiaini di vino di riso cinese o sherry secco
- 2 cucchiaini di salsa di soia
- 2 cucchiaini di bicarbonato di sodio
- 2 cipolle verdi, tagliate a fettine sottili in diagonale
- 2 cucchiai di salsa di ostriche
- 2 cucchiai di brodo di pollo o brodo
- 4-6 cucchiai di olio per soffriggere
- 6 funghi freschi, tagliati a fettine sottili
- 1 gambo di sedano, tagliato a fettine sottili in diagonale
- 2 gambi di bok choy comprese le foglie, tagliate a fettine sottili in diagonale
- 1 lattina da 8 once di germogli di bambù, scolati

Tagliare la carne di maiale a fettine sottili. Marinare il maiale con il vino di riso Konjac, la salsa di soia e il bicarbonato di sodio per 30 minuti.

Unire la salsa di ostriche, il brodo di pollo. Mettere da parte.

Aggiungi 2 cucchiai di olio a un wok o una padella preriscaldati. Quando l'olio è caldo, aggiungere il maiale. Saltare in padella finché non cambia colore e non è quasi cotto. Togli dal wok.

Aggiungi 1-2 cucchiai di olio. Quando l'olio è caldo, aggiungere i funghi e saltare in padella per circa 1 minuto. Aggiungere il sedano e i gambi di bok choy, quindi i germogli di bambù, saltando in padella ciascuno per circa 1 minuto nel mezzo del wok prima di aggiungere la verdura successiva. (Se il wok è troppo affollato, saltare in padella ogni verdura separatamente.) Aggiungere altro olio se necessario, spingendo le verdure sul lato del wok finché l'olio non si è riscaldato. Aggiungere le foglie di bok choy e il cipollotto.

Aggiungere la salsa al centro del wok e portare a ebollizione. Aggiungi il maiale. Mescola tutto e servi caldo.

48. Maiale Hoisin Piccante

- ¾ £ filetto di maiale
- 1 cucchiaio di salsa di soia
- 2 cucchiaini di bicarbonato di sodio
- 1 mazzetto di spinaci
- 2 cucchiai di salsa hoisin
- 1 cucchiaio di salsa di soia scura
- ¼ di tazza d'acqua
- 3 cucchiai di olio per soffriggere
- ¼ di cucchiaino di pasta di peperoncino

Tagliare la carne di maiale a fettine sottili. Marinare nella salsa di soia e nel bicarbonato di sodio per 30 minuti.

Sbollentare brevemente gli spinaci in acqua bollente e scolarli bene.

Unisci la salsa hoisin, la salsa di soia scura e l'acqua. Mettere da parte.

Aggiungi 2 cucchiai di olio a un wok o una padella preriscaldati. Quando l'olio è caldo, aggiungere il maiale e saltare in padella finché non cambia colore e non è quasi cotto. Rimuovere e scolare su carta assorbente.

Aggiungere 1 cucchiaio di olio. Quando l'olio è caldo, aggiungere la pasta di peperoncino e saltare in padella fino a quando diventa aromatico. Aggiungi gli spinaci. Saltare in padella per un minuto, aggiungendo salsa di soia per condire se lo si desidera. Aggiungere la salsa al centro del wok e portare a ebollizione. Aggiungi il maiale. Abbassa il fuoco, mescola tutto e servi caldo.

49. Prosciutto con Pera Asiatica

- 1 ½ libbra di prosciutto, affettato sottilmente
- 2 cucchiaini di olio di sesamo
- 2 cucchiaini di amido di mais
- 2 cucchiai di salsa di soia
- 2 cucchiai di salsa di soia scura
- 2 cucchiai di miele
- 1 cipolla verde
- 2 cucchiai di olio per friggere
- 2 pere asiatiche, affettate

Marinare il prosciutto per 30 minuti in olio di sesamo e amido di mais.

Unisci la salsa di soia, la salsa di soia scura e il miele. Mettere da parte. Taglia la cipolla verde a fette da 1 pollice in diagonale.

Aggiungi 2 cucchiai di olio a un wok o una padella preriscaldati. Quando l'olio sarà ben caldo, unite il prosciutto affettato e fatelo rosolare brevemente. Rimuovere e scolare su carta assorbente.

Prepara il wok per la cottura a vapore. Posizionare il prosciutto tagliato a fette su una pirofila su una vaporiera di bambù. Spennella metà della salsa. Coprire e cuocere a vapore, aggiungendo altra acqua bollente se necessario.

Dopo 25 minuti scolate il sugo del prosciutto, unitevi alla restante metà della salsa e portate a ebollizione in un pentolino. Disporre le fette di pera con il prosciutto. Cuoci il prosciutto per altri 5 minuti o finché non è cotto. Versare la salsa cotta sul prosciutto prima di servire. Guarnire con il cipollotto.

MANZO CINESE

50. Costolette keto alla griglia asiatiche

Costolette e marinata

- 6 grandi costolette, tagliate a fianco (~ 1 1/2 lb.)
- 1/4 tazza di salsa di soia
- 2 cucchiai. Aceto di riso
- 2 cucchiai. Salsa di pesce
- Asian Spice Rub

a) Mescola la salsa di soia, l'aceto di riso e la salsa di pesce. Opzionalmente puoi aggiungere un po 'di olio d'oliva e olio di sesamo alla marinata.
b) Metti le costine in una pirofila o in un contenitore con i bordi rialzati. Versate la marinata sulle costine e lasciate riposare per 45-60 minuti.
c) Mescola le spezie.
d) Vuotare la marinata dalla casseruola, quindi versare il composto di spezie in modo uniforme su entrambi i lati delle costole.
e) Riscalda la griglia e griglia le costolette! Circa 3-5 minuti per lato a seconda dello spessore.
f) Servi con le tue verdure o contorni preferiti.
g) Questo fa un totale di 4 porzioni di costolette keto alla griglia asiatiche.

51. Costine di maiale alla brace

- banchi di costolette, non tagliate, circa 2 libbre ciascuna 3 spicchi d'aglio, tritati
- 1/2 tazza di ketchup
- 1/2 tazza di salsa di fagioli dolci (hoi sin deung) o salsa hoi sin 1/2 tazza di salsa di soia
- 1/4 tazza di sherry

Elimina il grasso in eccesso dai bordi spessi delle costine. Metti le costolette in una padella o un piatto basso. Mescolare gli ingredienti rimanenti per una marinata e distribuire su entrambi i lati delle costine. Lasciar riposare per almeno due ore.

Posizionare una griglia nella parte superiore del forno e una nella parte inferiore. Preriscaldare a 375F. Aggancia ogni banco di costolette con 3 o 4 ganci a S su tutta la sua larghezza, sui bordi spessi e sospendi sotto il cestello superiore.

Posizionare una padella grande con 1/2 "di acqua sulla griglia inferiore. Questa padella raccoglierà lo sgocciolamento e impedirà alla carne di seccarsi. Cuocere le costine per circa 45 minuti.

52. manzo Satay

- Bistecca di controfiletto di manzo da ½ libbra
- ¼ di tazza di salsa di soia scura
- ¼ di cucchiaino di pasta di peperoncino
- 1 cucchiaio di salsa hoisin
- 1 cucchiaino di marmellata di arance
- 1 spicchio d'aglio, tritato
- 1 fetta di zenzero, tritato

a) Tagliare la carne attraverso il grano in strisce molto sottili, lunghe circa 1 pollice.
b) Unisci gli ingredienti rimanenti. Marinare la carne in frigorifero durante la notte o per almeno 2 ore. Scolare la carne, riservando la marinata.
c) Infilare almeno 2 fette di manzo marinato su ogni spiedino, intrecciandole dentro e fuori come una fisarmonica. Spennellate con la marinata riservata.
d) Griglia la carne su entrambi i lati. Servire con Hoisin Satay Sauce

53. Manzo con broccoli

- 1 cucchiaio di amido di mais 3 cucchiai di sherry secco 1/4 di tazza di acqua
- 1/2 tazza di salsa di ostriche
- 1 pizzico di peperoncino tritato in fiocchi 1 cucchiaio di olio
- 1 cucchiaio di radice di zenzero, tritata
- 1 spicchio d'aglio - broccoli da 1 libbra schiacciato - tagliato a pezzi
- 1 peperone verde tagliato alla julienne 2 coste di sedano affettate
- 6 cipolle verdi - tagliate a pezzi
- 8 once Manzo cotto - affettato

a) Sciogliere l'amido di mais nello sherry, la salsa di ostriche, l'acqua e aggiungere i fiocchi di peperoncino. Nel wok o in una padella grande, scaldare l'olio a fuoco medio alto, aggiungere lo zenzero
b) e l'aglio. Saltare in padella 1 min. Aggiungere i broccoli, saltare in padella 3 min. Aggiungere il peperone verde, il sedano e le cipolle verdi, saltare in padella 3 min.
c) Fai un pozzo nel wok e aggiungi la miscela di amido di mais. Mescolare fino a quando si è addensato. Aggiungere la carne e mescolare delicatamente.
d) Usa il brodo di pollo se la miscela è troppo densa. Servire con riso Konjac al vapore o riso al cavolfiore.

JUSTATASTE.COM

54. Manzo Kwangton

- 1 cucchiaio e mezzo di olio di arachidi
- 1 fetta di radice di zenzero fresca
- Manzo di 1/2 pollice di spessore 1 libbra - a strisce sottili
- 4 once di germogli di bambù, affettati
- 4 once di funghi champignon - affettati 3 once di taccole
- 1/2 tazza di brodo di pollo
- 2 cucchiai di salsa di ostriche
- 1/2 cucchiaino di salsa di soia
- 1/4 cucchiaino di olio di sesamo
- 1/2 cucchiaino di amido di mais, mescolato con 1/2 cucchiaino di acqua

Preriscalda un wok o una padella e aggiungi l'olio. Aggiungere lo zenzero e mescolare per insaporire l'olio. Eliminare lo zenzero e aggiungere l'ape

f fette. Saltare in padella per

circa 2 minuti. Aggiungere i germogli di bambù, i funghi, le taccole e il brodo di pollo. Coprite e cuocete per 2 minuti. Mescolare in salsa di ostriche, salsa di soia, olio di sesamo. Addensare con la miscela di amido di mais e servire subito con riso Konjac o riso al cavolfiore.

55. Polpette alla cantonese

- 20 oz. Pezzi Di Ananas In Sciroppo
- 5 cucchiai di salsa teriyaki, divisa
- 1 cucchiaio di aceto
- cucchiaio Catsup
- 1 libbra di carne macinata
- 2 cucchiai di cipolla tritata istantanea
- cucchiai di amido di mais
- 1/4 tazza di acqua

Scolare l'ananas; sciroppo di riserva. Unire lo sciroppo, rosolare 3 cucchiai di salsa teriyaki, aceto e ketchup; mettere da parte. Mescolare la carne di manzo con i restanti 2 cucchiai di salsa teriyaki e cipolla; formare 20 polpette. Polpette marroni in padella capiente; scolare il grasso in eccesso. Versare il composto di sciroppo sulle polpette; cuocere a fuoco lento per 10 minuti, mescolando di tanto in tanto. Sciogliere la maizena in acqua; mescolare nella padella con l'ananas. Cuocere e mescolare fino a quando la salsa si addensa e l'ananas si è riscaldato.

56. Involtini di manzo e scalogno Hoisin

- 1 bistecca intera
- 1/2 tazza di salsa di soia
- 3 spicchi d'aglio
- 1/2 tazza di zenzero tritato
- pepe nero fresco pizzico
- 1/2 tazza di salsa hoisin
- 1 mazzetto di scalogno

m) In un piatto fondo, mescola la salsa di soia, l'olio, l'aglio, lo zenzero e un po 'di pepe. Aggiungere la carne di manzo e marinare per una notte in frigorifero, girando una volta. Riscalda la griglia. Asciugare la carne marinata e cuocere la bistecca alla griglia, a circa 4 pollici dal fuoco, finché non è rara, da 5 a 6 minuti per lato.

n) Raffreddare completamente e poi affettare molto pensando in sbieco, attraverso il grano della carne. Taglia le fette per formare strisce di circa 2 x 4 pollici. Spennellate un sottile strato di salsa hoisin su ogni striscia di manzo. Posare

o) un mazzetto di julienne di scalogno a un'estremità e arrotolare bene. Disporre su vassoi, lato della cucitura verso il basso, coprire bene con pellicola trasparente (assicurarsi che la plastica sia a stretto contatto con la carne) e conservare in frigorifero fino al momento di servire.

57. Manzo Teriyaki

- Bistecca di manzo da 1 libbra
- 1 tazza di salsa teriyaki
- 2 cucchiai di salsa di soia
- 1/2 cucchiaino di zenzero macinato
- 1 cucchiaino di pepe nero macinato
- 1/2 cucchiaino di aglio fresco tritato
- 2 cucchiai di salsa di ostriche
- 1 cucchiaio di salsa di fagioli neri
- 1/4 tazza di olio di sesamo
- 1 oncia. cipolla (fette da 1/4 ")
- 6 oz. cimette di broccoli

a) Tagliare le bistecche della gonna a cubetti da 1 "e unire tutti gli ingredienti sopra nel boccale. Mescolare bene e lasciare marinare per almeno mezz'ora a temperatura ambiente. Conservare in frigorifero fino al momento del bisogno.
b) Quando sei pronto per cucinare, separa solo la carne dalla marinata (salva tutto il resto). In un wok, scaldare circa 1/4 "di olio d'oliva. Aggiungere la carne di manzo e cuocere 3/4.
c) Aggiungere la verdura marinata (broccoli e cipolla). Cuocere fino a quando il manzo è cotto, quindi aggiungere circa 1 tazza (o quanto desiderato) di marinata al manzo e alle verdure. Cuocere a fuoco lento fino a far bollire leggermente.
d) Servire sopra il riso Konjac con i wonton tagliatelle attorno al bordo del piatto

58. Manzo confezionato in regalo

- Bistecca di fianco da ½ libbra
- 1 cucchiaino di salsa di ostriche
- ¼ di cucchiaino di bicarbonato di sodio
- 6 grandi funghi secchi
- 1 bok choy
- 2 cucchiai di salsa hoisin
- 2 cucchiai d'acqua
- 1 mazzetto di coriandolo
- 2 cucchiai di olio di sesamo
- 12 quadrati da 6 pollici di foglio di alluminio

Preriscalda il forno a 350 ° F.

Tagliare la carne a fette sottili lunghe 2–3 pollici. Vuoi avere circa 3 fette per ogni pacchetto. Aggiungere la salsa di ostriche e il bicarbonato di sodio. Marinare la carne per 30 minuti.

Mettere a bagno i funghi secchi in acqua calda per 20 minuti o finché non si saranno ammorbiditi. Strizza delicatamente per eliminare l'acqua e taglia in 48 fette sottili o 8 fette per fungo. Lavare il bok choy, scolarlo accuratamente e sminuzzarlo. Vuoi avere 3-4 pezzi per ogni pacchetto. Mescolare la salsa hoisin, l'acqua e mettere da parte.

Per avvolgere la carne, stendi un quadrato di carta stagnola in modo che formi una forma a rombo. Aggiungere 3 delle fette di manzo, 2-3 fette di funghi, qualche brandello di bok choy e qualche rametto di coriandolo al centro, assicurandosi di mantenere il ripieno al centro e non vicino ai bordi. Mescolare ¼ di cucchiaino di olio di sesamo e ½ cucchiaino di miscela di acqua e hoisin.

Porta l'angolo inferiore sopra la carne. Rotola questo angolo una volta. Piega l'angolo destro verso il centro e poi l'angolo sinistro, in modo che uno si sovrapponga all'altro. Infila il triangolo in alto nella patta. Posizionare i pacchi avvolti su una teglia e infornare a 350 ° F per 15 minuti. Lasciar raffreddare prima di servire. Servire avvolto su un piatto da portata, non aperto.

59. Congee con manzo

- ½ libbra di manzo
- 2 cucchiaini di salsa di ostriche
- 1 tazza di riso Konjac a grani lunghi o riso al cavolfiore
- 6 tazze d'acqua
- 2 tazze di brodo di pollo
- 2 cipolle verdi
- 2 cucchiai di olio per soffriggere
- 2 fette di zenzero tritate
- 1 spicchio d'aglio, tritato
- 2 cucchiai di salsa di soia scura
- 1 cucchiaio di vino di riso cinese o sherry secco
- ½ cucchiaino di olio di sesamo
- Sale e pepe a piacere

a) Tagliate la carne di manzo a fettine sottili. Marinare con la salsa di ostriche per 30 minuti.
b) Portare a ebollizione il riso Konjac o il riso al cavolfiore, l'acqua e il brodo di pollo. Cuocere a fuoco lento, coperto, per 30 minuti.
c) Taglia le cipolle verdi in pezzi da 1 pollice sulla diagonale.
d) Aggiungi l'olio a un wok o una padella preriscaldati. Quando l'olio è caldo, aggiungere lo zenzero e l'aglio. Saltare in padella brevemente fino a quando diventa aromatico. Aggiungere la carne di manzo e saltare in padella finché non cambia colore e non è quasi cotta. Rimuovere e scolare su carta assorbente.
e) Aggiungere lo zenzero, l'aglio e la carne di manzo al congee. Incorporare la salsa di soia scura e il vino di riso Konjac.

f) Continua a cuocere a fuoco lento per altri 30 minuti o finché il congee non avrà una consistenza cremosa. Incorporare le cipolle verdi. Condisci con l'olio di sesamo. Aggiungi sale a piacere.

60. Polpette di carne asiatica cheto

Ingredienti:

- carne di manzo macinata
- olio di sesamo
- 1 uovo
- scalogno
- aceto
- spinaci
- basilico
- zenzero fresco
- aglio
- salsa tamari o aminos al cocco
- olio di avocado

a) Un'altra ricetta di polpette keto, ma questa volta a base di carne di manzo.
b) Queste polpette asiatiche non mancano di sapore, soprattutto dopo averle immerse nella gustosa salsa!

61. Mu Shu Beef

- ½ libbra di manzo
- ½ tazza di acqua
- 1 cucchiaio di salsa di soia scura
- 1 cucchiaio in più
- 1 cucchiaino di salsa hoisin
- 1 cucchiaino di salsa di ostriche
- ¼ di cucchiaino di olio di sesamo
- 2 uova, leggermente sbattute
- ¼ di cucchiaino di sale
- 3-4 cucchiai di olio per soffriggere
- 1 fetta di zenzero, tritato
- ½ tazza di germogli di fagioli mung, sciacquati e scolati

a) Tagliate la carne di manzo a fettine sottili. Marinare se lo si desidera.
b) Unisci l'acqua, la salsa di soia scura, la salsa hoisin, la salsa di ostriche e l'olio di sesamo e metti da parte.
c) Mescolare le uova con ¼ di cucchiaino di sale. Aggiungi 1 cucchiaio di olio a un wok o una padella preriscaldati. Quando l'olio è caldo, sbatti le uova e rimuovile dal wok.
d) Aggiungere altri 2 cucchiai di olio. Quando l'olio è caldo, aggiungere la carne di manzo e saltare in padella finché non cambia colore e non è quasi cotta. Togliere dal wok e mettere da parte.
e) Aggiungere altro olio se necessario. Aggiungere lo zenzero e soffriggere brevemente fino a quando diventa aromatico. Aggiungi i germogli di soia. Aggiungere la salsa e portare a ebollizione. Aggiungere la carne di manzo e

l'uovo strapazzato. Amalgamate il tutto e servite ben caldo.

62. Keto Orange Beef

- 1/2 libbra Bistecca tonda superiore 2 Tb Sherry
- Tb Amido di mais
- Albumi
- 6 cucchiai di olio di arachidi

SALSA:

- 1 1/2 tazze di brodo di manzo 2 cucchiai di salsa di soia leggera
- 1 1/2 cucchiaio di amido di mais
- 1 cucchiaino di aceto di vino rosso
- 5 peperoncini rossi secchi, spezzettati
- 8 fette sottili di scorza d'arancia (solo per la parte arancione) o più
- Pepe nero macinato fresco a piacere

a) Sbatti insieme lo sherry, la maizena e gli albumi fino a ottenere un composto spumoso. Aggiungere la carne e mescolare per ricoprire bene i pezzi. Mettere da parte.
b) Taglia la carne in pezzi da 2x2 pollici. Riscaldare 4 cucchiai. Olio di arachidi nel wok.
c) Friggere velocemente, solo fino a quando diventa croccante e dorato, rimuovere sulla griglia del wok per scolare. Aggiungi i restanti 2 cucchiai. Olio di arachidi per wok. Aggiungere la scorza d'arancia ei peperoni rossi all'olio caldo nel wok. Saltare in padella fino a quando la buccia dell'arancia inizia a scurirsi e l'aroma dell'olio diventa piacevole. Aggiungere gli ingredienti rimanenti e mescolare fino a quando bolle (aggiungere altro brodo di manzo se troppo denso). Aggiungere la carne di manzo

fritta e condirla con la salsa. Servire subito con riso bianco Konjac al vapore o riso al cavolfiore

CONCLUSIONE

Sebbene sia difficile dare un conteggio preciso dei carboidrati ai cibi cinesi perché le loro preparazioni variano da un ristorante all'altro, la soluzione migliore è provare a preparare questi piatti a casa, dandoti un maggiore controllo sugli ingredienti utilizzati e sul conteggio finale dei carboidrati.

Durante la navigazione, un menu in un ristorante cinese, è importante notare che molte salse in un ristorante cinese contengono zucchero. Puoi chiedere le versioni al vapore di alcuni piatti e poi aggiungere la salsa di soia, che rientra nelle linee guida di una dieta chetogenica ben formulata. Soprattutto i broccoli asiatici al vapore o la senape sono buone scelte. Per quanto riguarda le proteine, l'arrosto di maiale, l'anatra arrosto e la pancetta di maiale con la pelle croccante sono buone scelte. Per i grassi, potresti portare una piccola bottiglia di olio d'oliva da casa e aggiungere un cucchiaio o due alle tue verdure.

Lightning Source UK Ltd.
Milton Keynes UK
UKHW020624140621
385475UK00001B/214